MW00397923

El amante bilingüe

Colección Autores Españoles
e Hispanoamericanos

Juan Marsé

El amante bilingüe

Premio Ateneo de Sevilla
1990

Planeta

COLECCIÓN AUTORES ESPAÑOLES
E HISPANOAMERICANOS
Dirección: Rafael Borràs Betriu
Consejo de Redacción: María Teresa Arbó, Marcel Plans, Carlos Pujol y Xavier Vilaró

Córcega, 273-279, 08008 Barcelona (España)

Diseño colección y sobrecubierta de Hans Romberg

Ilustración sobrecubierta: detalle de la Puerta del Dragón de la finca Güell de Barcelona, obra de A. Gaudí (foto Aisa)

1.ª a 9.ª ediciones: de setiembre de 1990 a mayo de 1993
10.ª edición: noviembre de 1993

Depósito Legal: B. 34.433-1993

ISBN 84-320-7020-3

Papel: Offset Munken Book, de Munkedals AB

Impresión: Duplex, S. A.

Encuadernación: Eurobinder, S. A.

Printed in Spain - Impreso en España

Ediciones anteriores
Especial para Club Planeta
1.ª edición: setiembre de 1990
Especiales para Planeta Crédito
1.ª a 3.ª ediciones: de noviembre de 1990 a abril de 1991

Para Berta.
Y para mis otros padres
y mi otra hermana, al
otro lado del espejo

Primera parte

Lo esencial carnavalesco no es ponerse careta, sino quitarse la cara.

ANTONIO MACHADO

1

Cuaderno 1

EL DÍA QUE NORMA ME ABANDONÓ

Una tarde lluviosa del mes de noviembre de 1975, al regresar a casa de forma imprevista, encontré a mi mujer en la cama con otro hombre. Recuerdo que al abrir la puerta del dormitorio, lo primero que vi fue a mí mismo abriendo la puerta del dormitorio; todavía hoy, diez años después de lo ocurrido, cuando ya no soy más que una sombra del que fui, cada vez que entro desprevenido en ese dormitorio, el espejo del armario me devuelve puntualmente aquella trémula imagen de la desolación, aquel viejo fantasma que labró mi ruina: un hombre empapado por la lluvia en el umbral de su inmediata destrucción, anonadado por los celos y por la certeza de haberlo perdido todo, incluso la propia estima.

Para guardar memoria de esa desdicha, para hurgar en una herida que aún no se ha cerrado, voy a transcribir en este cuaderno lo ocurrido aquella tarde. Un dormitorio pequeño, íntimo. Cama baja con las sábanas revueltas. Ya he hablado de mí mismo reflejado en el espejo, al entrar. Norma se ha refugiado en el cuarto de baño, cerrando la puerta por dentro. Lo segundo que veo es la caja de betún sobre la moqueta gris y el tipo casi desnudo sentado al borde de la cama y frotando diestramente con el cepillo un par de mis mejores zapatos. Lo único que lleva puesto es un sobado chaleco negro de limpiabotas. Tiene las piernas peludas y poderosas. Surcos profundos le marcan la cara.

—¿Qué diablos hace usted con mis zapatos? —pregunto estúpidamente.

El hombre no sabe qué hacer ni qué decir. Masculla con acento charnego:

—Pues ya lo ve uzté...

En realidad, yo tampoco sé cómo afrontar la situación.

—Es indignante, oiga. Es la hostia.

—Sí, sí que lo es...

—Es absurdo, es idiota.

Parado al pie de la cama, mientras se forma un charquito de agua alrededor de mis pies, observo al desconocido que sigue frotando mis zapatos y le digo:

—Y ahora qué.

—M'aburría y me he disho: vamos a entretenernos un ratillo lustrando zapatos...

—Ya lo veo.

—E que zoi limpia, ¿zabusté? Pa zervile.

—Ya.

—Bueno, me voy.

—No, no se vaya. Por mí puede quedarse.

—No se haga uzté mala zangre —me aconseja en tono de condolencia—. Porque uzté es el marío de la zeñora Norma, supongo...

Sigue lustrando el zapato por hacer algo, con gestos mecánicos. Pero emplea en su absurdo cometido una atención desmedida.

—Estoy calmado —me digo a mí mismo—. Estoy bien.

—M'alegro.

—¿No puede dejar de frotar este zapato?

—Lo mío es sacarle lustre al calzado, ¿zabusté? Pero será mejor que me vaya, con su permizo.

De pronto me aterra quedarme a solas con Norma. Sé que la voy a perder.

—Espere un poco —le digo—. Está lloviendo mucho...

Ya se está poniendo los calzoncillos, algo aturullado. Veo fugazmente su sexo oscilando entre las piernas. Es oscuro, notable. Apresuradamente se pone los pantalones y luego busca los calcetines en el suelo. En su cara un poco bestial no se ha borrado el susto, parece abrumado con su papel de amante ocasional de la señora de la casa pillado in fraganti por el marido. No me sorprende que sea un vulgar limpiabotas, probablemente analfabeto, reclutado en algún bar de las Ramblas y con pinta de cabrero. Cuando empecé a sospechar que Norma me engañaba, pensé en Eudald Ribas o en cualquier otro señorito guaperas de su selecto círculo de amistades, pero no tardé en descubrir que su debilidad eran los murcianos de piel oscura y sólida dentadura. Charnegos de todas clases. Taxistas, camareros, cantaores y tocaores de uñas largas y ojos felinos. Murcianos que huelen a sobaco, a sudor, a calcetín sucio y a vinazo. Guapos, eso sí. Aunque éste no parece tan joven ni tan irresistible. Un tipo de unos cuarenta años, moreno, de nariz ganchuda, pelo rizado y largas patillas. Un charnego rematado que no se atreve a mirarme a los ojos.

Y yo sigo sin saber qué hacer.

—Hosti, tú —susurro pensativo en catalán, mirando al suelo—. I ara qué?

—No se haga uzté mala zangre —insiste el hombre—. Mecachis en la mar...

Siento que voy a estallar. Abro el armario ropero y saco mis otros zapatos, más de media docena de pares, y también los de Norma, y los voy arrojando todos sobre la cama con una furia compulsiva.

—Tenga, aquí tiene más zapatos. ¿No es usted limpiabotas? ¡¿No es eso lo que ha dicho, que es usted limpiabotas?! ¡Pues frótelos bien! —grito para que Norma me oiga—. ¡Dele al cepillo!

—Zí, zeñó.

Se apresura a ordenar los zapatos sobre la cama, emparejándolos, y coge uno y empieza a frotarlo con el cepillo.

—Eso es. Frote, frote...

Miro la puerta del cuarto de baño esperando ver salir a Norma. Pero ella no sale. Veo sobre la mesilla de noche sus gafas de gruesos cristales. Se está vistiendo al palpo, me digo, sin verse en el espejo. Yo sí la veo, la oigo, la huelo. Nuestro apartamento de Walden 7 es pequeño y de tabiques delgados, puedo oír a Norma vistiéndose en el cuarto de baño, ahora se está poniendo las medias, me llega el roce de la seda en sus piernas, oigo el chasquido de la liga en su piel.

Me noto sin fuerzas. Me quito la gabardina mojada y me siento al otro lado de la cama. La lluvia sigue golpeando los cristales de la ventana. Una tarde de perros.

—¿Es la primera vez? —pregunto, y el tono tranquilo de mi voz me sorprende—. Conteste. ¿Es la primera?

—Zí, zeñó.

—No me mienta.

—Lo juro por mis muertos.

—Pero conoce a la señora hace tiempo.

—Qué va, no hará ni dos meses que le lustré los zapatos por primera vez, de cazualidá... Bueno, me voy.

—Calma.

El limpiabotas hunde la cabeza sobre el pecho y suspira como si le doliera el alma:

—¡Ay, Jezú Dios mío!

—¿Dónde trabaja usted?

—En las Ramblas.

—¿Cómo se conocieron?

—En el bar del hotel Manila. Paso las tardes allí. No sea uzté mu severo con la zeñora, y deje que me vaya...

—Usted quieto. El que se va soy yo.

Pero ni uno ni otro. Será Norma la que se largue, y además para siempre. Sale del cuarto de baño vestida con una ceñida falda gris y un jersey azul de cuello alto, tranquila y distante, atusándose el pelo con los dedos, y, sin dirigir una sola mirada a ninguno de los dos, coge de la mesilla de noche sus gafas de gruesos cristales y se las pone, luego saca del armario su cazadora de piel y un pequeño paraguas, abre la puerta del dormitorio y se va, cerrando de golpe.

Todavía hoy resuena esa puerta en mis oídos. Todavía hoy no he reaccionado. Veo mi colección de zapatos colocados en batería sobre la cama. A Norma le encantaba comprarme zapatos, los mejores zapatos. Están relucientes, impecables, mirándome desde su risueña y banal simetría. Empuñando uno de ellos, el limpiabotas lo frota suavemente con el cepillo.

—Tiene uzté unos zapatos mu elegantes...

—Se preguntará usted —digo sin hacerle caso, sin apartar los ojos de la puerta por donde se ha ido Norma— cómo una mujer de su clase pudo casarse con un don nadie como yo...

—No, zeñó, yo no me pregunto na.

—También yo me lo pregunto a veces.

—Miruzté, cada cual se sabe lo suyo... Ya va siendo hora de que me vaya.

—Calma. Quisiera contarle algo. Acerca mí y de esta señora que acaba de irse. Norma Valentí. Nos conocimos hace cuatro años. Yo tenía treinta y siete y ella veintitrés. Fue un milagro lo que nos juntó...

Yo me crié en lo alto de la calle Verdi, le expliqué, con los golfos sin escuela que merodeaban por el parque Güell y el Guinardó, en los duros años de la posguerra. Norma era hija única del difunto Víctor Valentí, fabricante de cinturones de cuero y artículos de piel que en los años cuarenta hizo una fortuna al obtener contratos en exclusiva del ejército. La chica se crió entre algodones en una fantástica torre del Guinardó rodeada por un inmenso parque. Vivía con sus padres y dos tías solteronas. Cuando tenía quince años, sus padres murieron en Montserrat en un desgraciado accidente de automóvil. Habían parado el coche en una cuesta para admirar el paisaje. No se apearon. Estaban contemplando el Cavall Bernat y el coche se desfrenó y retrocedió lentamente, sin que ellos se dieran cuenta, y se precipitó montaña santa abajo...

—El negocio quedó en manos de tío Luis, el hermano de don Víctor, y con el tiempo Norma acabaría heredando unas rentas superiores al mejor sueldo que yo hubiera podido soñar jamás en toda mi vida, y mire usted que he soñado...

—Zoñar e güeno, pero no conviene perdé el sentío de la realidá —me advierte muy sabiamente el limpiabotas.

—¿Quiere usted saber por qué dichoso azar o extraña casualidad llegaron a conocerse y enamorarse una muchacha rica y un pelanas como yo, hijo de una ex cantante lírica alcohólica y del Mago Fu-Ching, un pobre artista de varietés? Se lo contaré...

Nos conocimos en la sede de los Amigos de la Unesco, le conté, en la calle Fontanella, durante una huelga de hambre contra el régimen organizada por un grupo de abogados e intelectuales de izquierda. Yo caí en medio de todos ellos como llovido del cielo... Fue en diciembre de mil novecientos setenta. Por esa época yo era un buen aficionado a la fotografía y solía acudir a exposiciones y muestras. Una tarde, saliendo del cine, entré en el local de los Amigos de la Unesco para ver las fotos de una exposición. Era casi la hora de cerrar y había en la sala unas veinte personas charlando animadamente, sin dedicar la menor atención a las fotografías.

No tardaría en averiguar que estaban allí para otra cosa. Al no irse nadie, no advertí que ya habían cerrado el local, dejándonos a todos dentro: se iba a iniciar una huelga de hambre en protesta por los procesos de Burgos, en los que se dictaron nueve penas de muerte, y todos los que estaban allí lo sabían menos yo. Además de abogados, había en el grupo estudiantes, médicos y algún escritor y periodista, comandados por una impetuosa abogada de ojos verdes. No recelaron de mi presencia; como algunos no se conocían entre sí, pensaron que yo también era uno de ellos y nadie me preguntó nada. Todos tenían la consigna de juntarse allí a la misma hora y dejar que cerraran el local, negándose a salir. Me di cuenta de la situación al oír comentarios, y sobre todo al hablar con una joven universitaria que me preguntó de parte de quién venía. Era Norma. Le di el nombre de un colectivo teatral catalán que en esa época se distinguía por su antifranquismo. Norma me fascinó y por ella decidí sumarme a la huelga. Fueron cuatro días inolvidables. No comíamos nada, sólo bebíamos agua con un poco de azúcar, y fumábamos mucho. Recuerdo que Norma encendía los cigarrillos con cerillas del Bocaccio, el mítico local de la calle Muntaner que fue nido de progresistas... Nos proporcionaron mantas y dormíamos en el suelo, vestidos. Norma y yo nos hicimos inseparables durante todo el encierro. Recibimos adhesiones de comités obreros clandestinos y nos visitó la televisión sueca. Desde la primera noche, Norma durmió a mi lado. En la madrugada del cuarto y último día, cuando la policía forzó la puerta para desalojarnos, yo tenía la mano entre los muslos de Norma, debajo de la manta. No olvidaré nunca la seda caliente aprisionando mi mano, ni la mezcla de placer y de miedo en los ojos de Norma mientras la puerta cedía y la policía franquista irrumpía en la sala... Nos llevaron a todos a Jefatura, Norma y yo cogidos de la mano.

—Una hiztoria mu bonita, zí, zeñó...

—Estudiaba filología catalana en la universidad y era una chica romántica y progre —sigo machacando al apabullado limpia—. No me pregunte cómo se enamoró de mí, cómo ocurrió el milagro. Usted pensará, como hicieron en su momento las tías de Norma y sus amistades, que me casé con ella por dinero. Pero yo mismo lo dudo, a juzgar por cómo me comporté después... La historia de Juan Marés es triste, amigo. Es la historia de un hombre que a los treinta y siete años dio un braguetazo y que luego no supo comportarse. He sido un braguetero sin convicción...

—En el fondo, uzté e güeno.

—Vivimos unos meses con las dos viejas tías solteronas en Villa Valentí, la fabulosa torre del Guinardó. No he olvidado sus cúpulas doradas al atardecer ni su plácido estanque de aguas verdes. Y después, siguiendo la moda de muchas parejas progres, Norma adquirió un apartamento en Walden 7, el controvertido edificio del arquitecto Bofill en Sant Just, este en el que ahora nos encontramos usted y yo sentados en una cama llena de zapatos...

—Termine ya, haga er favó.

El hombre deja los zapatos, se levanta, guarda el cepillo y las cremas en la caja y se queda mirándome, la caja de betún en la mano, esperando que termine de hablar.

—Yo estaba sin empleo —proseguí, inmisericorde—. Puesto que no tenía que ganarme la vida, al faltarme el incentivo, acabé abandonando mis tentativas de trabajo. Antes de conocer a Norma estuve empleado en una antigua tienda de guantes y sombreros del barrio gótico, y esporádicamente actuaba en agrupaciones teatrales de aficionados en Gràcia. Por aquel entonces mi madre ya había muerto, no me quedaba ningún otro familiar (mi padre, el ilusionista, se fue de casa cuando yo tenía doce años) y vivía con una actriz poco conocida en un pisito oscuro que ella tenía en la calle Tres Señoras. Con Norma, en este apartamento, todo fue distinto. Norma y yo formamos un matrimonio romántico, carnal y desastroso: una unión que no podía durar porque ninguno de los dos sabíamos qué diablos era lo que debíamos hacer durar, además de los revolcones en la cama...

—No llore uzté, por el amor de Dios.

—Norma no tardó en confundir la independencia económica con la emocional e inauguró un ciclo de depresiones que hace cosa de un año la llevó a vivir un par de sórdidas aventuras, la primera con un camarero y la segunda con un taxista.

—Un tropezón lo da cualquiera en la vida, ¿zabusté?

—Y ahora con un limpiabotas que ha recogido por ahí, en un bar... ¡Cielo santo, cielo santo!

—No se fíe uzté de las apariencias. Su mujé le quiere a uzté.

—Y termino. Durante estos cuatro años de

casado, me he acostado temprano y he vuelto a soñar. Desde muy niño soñaba con irme lejos, lejos del barrio y de mi casa, del ruido de la Singer que pedaleaba mi madre y de sus rancias canciones zarzueleras, de sus borracheras y de sus astrosos amigos de la farándula. Lo conseguí con Norma. Y ahora sé que todo lo he perdido.

—Me tengo que ir, oiga. Ya no llueve...

—Quédese un poco más.

—No estaría bien, no, zeñó. Aquí le dejo tos sus zapatos limpios.

Observo fascinado los zapatos lustrados y alineados sobre la cama. Parecen sonreír. Se me ocurre que debería pagarle algo por su trabajo. Él ya está en la puerta.

—Creo que debería pagarle algo por su trabajo...

—No zea uzté capullo, hombre.

—Qué otra cosa puedo hacer, además de pegarme un tiro.

—No diga barbaridades. ¡Hala, quede uzté con Dios! Lo mejó que pué hacer es ir a buscar a su mujé.

Pero yo no me movería de allí durante horas y Norma no volvería nunca al apartamento de Walden 7. Se fue a Villa Valentí a vivir con sus tías y al día siguiente mandó a una criada a recoger su ropa y sus cosas. Conseguí hablar con ella por teléfono un par de veces, pero no pude convencerla para que volviera a casa. Me dijo que podía quedarme en Walden 7 el tiempo que quisiera —el piso aún hoy está a su nombre—, que no pensaba echarme a la calle. Después de eso, no quiso volver a saber nada de mí.

Se va el paciente y amable limpiabotas y oigo la puerta del piso cerrándose por segunda vez, ahora con sigilo. Al mismo tiempo, otra puerta se abre ante mí: la que ha de dar paso a la miseria y al fracaso de mi vida, a mi caída vertiginosa en la soledad y la desesperación.

2

HACE MUCHOS AÑOS, cuando era un muchacho solitario y se sentaba con su antifaz negro en las esquinas soleadas del barrio a vender tebeos y novelas de segunda mano, Marés soñaba que de mayor escribiría un libro maravilloso que empezaría así: hace muchos años, cuando era un muchacho solitario y me sentaba con mi antifaz negro en las esquinas soleadas del barrio a vender tebeos y novelas de segunda mano, soñaba que un día escribiría un libro maravilloso que empezaría así...

Hoy se sentaba en una esquina mugrienta y helada del Raval, lejos de su barrio, vestido con harapos y tocando el acordeón. En el suelo, entre sus piernas, una hoja de periódico contenía algunas monedas arrojadas por los transeúntes. Marés era un hombre de cincuenta y dos años, pero aparentaba menos debido a la caricia del fuego, desde que un grupo de exaltados nacionalistas catalanes que recorría las Ramblas en manifestación, tres años atrás, hallándose él sentado en esa misma esquina de Sant Pau, lanzó un cóctel Molotov-Tío Pepe con tan mala fortuna que se estrelló en la acera delante de él y le dejó el rostro y las manos de seda. El fuego diseñó en la piel de las mejillas una sonrisa perenne y burlona, una soñadora ironía. Desde entonces no tenía cejas y se las pintaba con lápiz negro de trazo grueso, pero en el entrecejo, al llegar la primavera, le crecían unos pelos largos y negros. En días de melancolía y añoranza, para animar una cara sin arrugas y sin pasado, sobre el severo labio superior se pegaba con almaste un bigotito postizo, rubiales y distinguido. Tenía Marés los pómulos altos y pulidos, el pelo ralo y los ojos color miel, pequeños y rapiñosos. Tocaba briosos pasodobles con su viejo acordeón y llevaba colgado sobre el pecho un cartel que decía:

PEDIGÜEÑO CHARNEGO SIN TRABAJO
OFRECIENDO EN CATALUNYA
UN TRISTE ESPECTÁCULO TERCERMUNDISTA
FAVOR DE AYUDAR

Después de hora y media sentado allí, sólo había recaudado cuatrocientas pesetas. Se trasladó al centro de las Ramblas, junto a la boca del metro Liceo, se sentó en el suelo, extendió la hoja de periódico, le dio la vuelta al cartón colgado sobre el pecho y empezó a tocar el *Cant dels ocells* con mucho sentimiento. En el rótulo que ahora exhibía podía leerse:

FILL NATURAL DE
PAU CASALS
BUSCA UNA OPORTUNIDAD

La famosa melodía casalsiana le deprimía. Algunos transeúntes se paraban a mirarle y leían el rótulo con recelo. Uno de ellos se acercó, rechoncho y pulcro, con brillantes zapatos que chirriaban, la mano derecha en el bolsillo del pantalón. Pero no sacó ninguna moneda.

—Escolti, perdoni —dijo con una sonrisa de conejo—. Aquest rètol està mal escrit.

—¿Cómo dice, buen hombre?

—¡Oh! —exclamó muy sorprendido el transeúnte de lustrosos zapatos—. Ésta sí que es buena: ¿hijo de Pau Casals y no habla catalán? ¡Vaya, vaya!

—Verá usted, es que me crié en Algeciras con mi madre, que era una criada que había servido en casa del maestro y gran patriota...

—¡Vaya, vaya! —repitió el hombre alejándose con aire escéptico—. Ya, ya.

A pesar de este pequeño incidente, en menos de dos horas Marés recaudó tres mil pesetas, casi todo en monedas de cien y de doscientas.

3

CERCA DEL MEDIODÍA empezó a tocar melodías de Edith Piaf y su tristeza se remansó, se conformó con algunas furtivas sombras tambaleantes que poblaban las Ramblas y su memoria. Con la cabeza recostada sobre el acordeón y los ojos cerrados, interpretó *C'est à Hambourg,* evocando las sirenas de los buques y la bruma en los muelles envolviendo a la melancólica prostituta que llama a los marineros apoyada en una farola, y esa evocación portuaria y canalla le trajo el punzante recuerdo de su ex mujer, Norma Valentí, treinta y ocho años, sociolingüista, gafas de culo de vaso y espléndidas piernas, sentada ahora detrás de alguna mesa en las oficinas del Plan de Normalización Lingüística. La vio hablando por teléfono y cruzando las rodillas, emputecida y libre, una falda de satín negro y medias negras de red. Pensando en ella, interpretó la melodía tres veces seguidas, hundiendo mentalmente a su ex mujer en la depravación y el vicio de los bajos fondos de Hamburgo, mientras oía el lamento de los buques y el tintineo de las monedas rebotando entre sus piernas.

Desde hacía diez años, Norma no quería saber nada de él, y mucho menos hablarle o verle. Marés se había hundido en la mendicidad y el anonimato, pero seguía locamente enamorado y había ideado una estratagema que le permitía hablar con ella de vez en cuando, oír su voz, sin darse a conocer. Dejó el acordeón en el suelo, cogió unas monedas, se levantó y echó a correr hacia la cabina de teléfono más próxima.

4

—ASSESSORAMENT LINGÜÍSTIC. Digui?

Era la voz de Norma. No siempre era ella la que atendía las llamadas, pero esta vez hubo suerte. Marés estuvo unos segundos sin poder hablar, con un nudo en la garganta.

—Digui...!

—¿Oiga?

Carraspeó y disfrazó la voz con una ronquera abyecta y un suave acento del sur:

—Llamo para una conzulta. Miruzté, tengo unos almacenes de prendas de vestir y ropa interior con rótulos en castellano para cada sección y quiero ponerlo to en catalán, por si acaso... Ya zabusté cómo las gastan esos malparidos de Terra Lliure...

—Posi's en contacte amb Aserluz i li faran...

—¿Cómo dice?

—Llame a Aserluz. Esta asociación ofrece un diez por ciento de descuento a todos los establecimientos que encarguen rótulos en catalán. Trabajan para nosotros.

—Pero es que yo no tengo dinero para eso. Mi negocio es muy humilde, zeñora, y me hago los rótulos yo mismo, a mano. Yo necesito solamente que me diga uzté cómo se escribe en catalán el nombre de algunas prendas...

—Bueno, qué quiere saber.

—Tengo aquí una lista. Es un poco larga, pero...

—Dígamelo en castellano y yo le traduzco. Pero dese prisa, por favor.

—Vale. Empiezo: abrigos.

—Abrics.

—Chaquetas.

—Jaquetes.

—Cinturones.

—Corretges o cinyells.

—¡Coño, qué raro suena!

—¡Ah! ¡Qué quiere que le diga!

—Perdone, e uzté mu amable. La estoy haciendo perdé mucho tiempo con mis tontos problemas...

—Digui, digui.

—Blusas.

—Bruses.

—Camisetas.

—Samarretes.

—Calzoncillos.

—Calçotets. ¿Ya lo escribe usted correctamente?

—Zí, zeñora. Sujetadores o sostenes.

—Ajustadors.

—Ligas y... ligueros.

—Lligacames.

Marés hacía una pequeña pausa después de oírle nombrar la prenda, como si tomara nota. En realidad, bebía la voz adorada en una especie de éxtasis.

—Bragas.
—Bragues —dijo ella suavemente.
—Albornoz.
—Barnús.
—Oiga, esto suena a insulto.
—Pues en catalán se dice así, señor mío. —Norma suspiró—. Y bien, ¿ha terminado?
—No, espere...
Desesperado, mordiéndose los puños, Marés no conseguía recordar el nombre de más prendas, su mente se había quedado en blanco.
—Bragas y sostenes.
—Eso ya lo hemos dicho.
—Vaya... No zabusté cuánto l'agradezco l'atención que ha tenío con este pobre charnego...
—De nada, hombre. Hala, que usted lo pase bien.
—Mil gracias, zeñora...
—Adéu, adéu.

5

FELIZMENTE HOY ES JUEVES, se dijo Marés. Los jueves, a eso de la una y media, Norma acudía a las oficinas centrales de la plaza Sant Jaume y media hora después volvía a salir en compañía del afamado sociolingüista Jordi Valls Verdú, peligroso activista cultural. Valls Verdú era el inmediato superior de Norma y su actual amante, y ocupaba un puesto de responsabilidad en la Comisión que llevaba adelante el Plan de Normalización Lingüística de Cataluña a cargo de la Generalitat. Marés lo había conocido diez años atrás robando volúmenes de la Bernat Metge en la vasta biblioteca del difunto Víctor Valentí, padre de Norma.

Luciendo su cochambre singular y artificiosa —vestía harapos de pordiosero escrupulosamente limpios y escogidos: pantalón raído de franela gris, jersey deshilachado, americana zurcida, bufanda desgarrada y viejos zapatones sin cordones: un músico ambulante aparentemente desastrado y piojoso—, Marés estaba arrodillado sobre una hoja de periódico en la esquina de la plaza Sant Jaume con la calle Ferran, junto al escaparate de una perfumería repleto de frascos de colonia, dentífricos y pastillas de jabón. Ahora escudaba sus ojos tras unas gafas oscuras y regalaba los oídos de los viandantes con una esmerada versión de *Suspiros de España* trufada de acordes y florituras de dudoso gusto. Entre sus piernas brillaban seis monedas de cincuenta y cuatro de cien. Pasaron ante él cinco jóvenes melenudos portando estuches de violines y guitarras. De vez en cuando abandonaba la plaza un coche oficial en medio de un gran revuelo de municipales.

Iban a dar las dos de la tarde. De la Generalitat salían algunos funcionarios para ir a comer. Hoy no encuentro a mi público, se dijo Marés. Vio salir del ayuntamiento a una funcionaria impetuosa y parlanchina que parecía un hombre disfrazado de mujer de la limpieza. Marés se impacientó. De un momento a otro, Norma Valentí pasaría ante él camino del cercano restaurante L'Agout d'Avignon en compañía de Valls Verdú, después de recogerle en su despacho de la Conselleria. Se preguntó cuánto tiempo le duraría a Norma esta aventura marrana y monolingüe, cuántos jueves más tendría él que venir aquí a instalarse en esta esquina sólo para ver pasar al objeto de su pasión y recibir, ocasionalmente, alguna moneda. ¿Cuántas pesetas le habría arrojado Norma en total? Un precio ridículo para una pasión sin esperanza. Todas esas monedas, después de contarlas, las guardaba en casa, en una pecera de cristal.

De pronto vio a la pareja salir de la Generalitat y venir hacia él dispuesta a enfilar la calle Ferran. Y pensando una vez más en los gustos de ella, que siempre veneró la música del *mestre,* interrumpió el pasodoble y se arrancó con el *Cant dels ocells,* al tiempo que le daba la vuelta al cartón colgado en su pecho proclamándose nuevamente hijo natural de Pau Casals en busca de una oportunidad. Al pasar ante él, Norma Valentí hurgó en su bolso, sin detenerse. Llevaba una falda gris plisada, jersey negro y la gabardina blanca doblada al brazo. Su acompañante sonrió burlonamente al leer el cartel, tarareó entre dientes la consagrada melodía y arrojó un puñado de calderilla sobre la hoja de periódico. «I menys conya, tu!», dijo al pasar. Norma se disponía también a arrojarle una moneda y el sociolingüista intentó evitarlo, pero no llegó a tiempo, la moneda ya volaba en el aire y el acordeonista abrió la boca y la pilló con los dientes. Veinte duros que sabían a gloria, la gloria de sus manos... Lo mismo que otras veces, ella apenas le dedicó una mirada y se alejó sin reconocerle, sin sospechar que ese pobre artista callejero parapetado tras una costra de miseria, hundido en el fango de la vida, en el gueto del olvido, era su ex marido.

Norma y su acompañante se adentraron por la calle Ferran y Marés se levantó de un brinco, recogió sus monedas y fue tras ellos cargando el acordeón a la espalda. Poco después, parándose en el bordillo de la acera, el activista cultural enlazó a Norma por el talle y, sonriendo, deslizó unas palabras en su oído. Marés también se paró, dolido, y recordó la voz lenta y lubricada de Valls Verdú, su dicción ortodoxa y nasal y su alta y campanuda condición de centinela lingüístico en prensa y radio, en el doblaje de películas y en los programas de TV3, la televisión autonómica. Llepaculs i filiprim, lo insultó Marés en voz baja. Torracollons.

Ahora los arrumacos de su amante la importunaban, y Norma se liberó de su abrazo. Él la besó rápidamente en la mejilla, paró un taxi, montó y se fue en dirección a las Ramblas, mientras Norma seguía camino de L'Agout. Así pues, hoy no almuerzan juntos, se dijo Marés, y dando un corto rodeo esperó a su ex mujer en la entrada del callejón del restaurante, cobijado en las sombras de un portal. Y allí, sonriendo por un lado de la boca, el cuerpo retorcido, de poseso, le susurró al pasar, con la voz ensalivada y abyecta y el acento charnego, imposible de reconocer, un rosario de obscenidades de calculado efecto. Coño loco, niña pijo, mala puta; y deseos inconfesables, confusos recuerdos, elogios a su culo respingón, a su ardiente clítoris, a sus soñolientos orgasmos de miope. Repentinamente intercaló una misteriosa y gutural parrafada en catalán:

—Cigrony, capdecony, recony i codony.

Norma se paró y volvió la cabeza por encima del hombro simulando mirarse las pantorrillas, las medias color humo. Esa voz la estremecía; sólo podía estar dedicada a ella, nadie más pasaba por el callejón en este momento. Sintió una punzada ardiente en las entrañas, quiso echar a correr, pero la voz ronca y el lenguaje depravado le habían paralizado las piernas. Agazapado en la sombra, la sonrisa empapada de melancólica inteligencia, Marés le levantó la falda con el pensamiento: esa pequeña cicatriz en la cara interna del muslo izquierdo, esa marca indeleble de la brasa de un cigarrillo, aquella noche en Walden 7 que él enloqueció de celos y ella amenazó con abandonarle... Ahora sus manos de pedigüeño acordeonista acarician nuevamente los quemantes alrededores de la cicatriz, pero no puede precisar la seda y el placer. Su mente torturada cree percibir de nuevo el suave fulgor de la desnudez de Norma, un halo luminoso que desprende su cuerpo cuando pasa por su memoria con cierta parsimonia gestual, como al ralentí: dirigiéndose desnuda hacia la ventana restallante de sol sobre el jardín de Villa Valentí, ella se vuelve y le mira furiosamente por encima del hombro. ¡Qué lejos quedaba esa imagen quemante!

Siguió desgranando la cantinela soez y ella siguió escuchándola, parada, examinando las costuras de sus medias. Luego, agitando levemente su hermoso pelo castaño, Norma reanudó su camino hacia la puerta del restaurante. Había sacado del bolso un espejito de mano y se miraba la boca pintada, sonriendo. Marés percibió su hálito empañando el espejo, y el fugaz y húmedo destello sobre el grueso labio inferior, siempre un poco ansioso y derramado de carmín. Y vio también, por un brevísimo instante, a través de las lágrimas, la punta rosada y diabólica de su lengua.

6

El universo es un jodido caos en expansión que no tiene sentido, pensó Marés esta noche, subiendo por las Ramblas en busca del autobús que había de devolverle a casa. Caminaba cabizbajo y vio en el suelo una piel de plátano y en vez de esquivarla tentó la suerte y la pisó, resbaló y se cayó de culo. Después de lo cual, para celebrarlo —no todo lo que me ocurre carece de sentido—, entró en el bar Boadas y pidió un cóctel de champán y luego otro.

Poco después seguía Ramblas arriba con la memoria sumergida en el estanque de aguas verdes de Villa Valentí. Eran las diez y diez y pensaba coger el último autobús en la plaza Universitat. Los anuncios luminosos parpadeaban suspendidos en la bruma de la noche. Como una sombra sin rostro, volátil, un joven *camello* se le acercó por la espalda, compañero, ¿quieres un poco de felicidad? Algunos pedigüeños le salieron al paso, hermano, ¿me pagas un bocadillo? Detrás de un quiosco, una muchacha aterida de frío sobre altos tacones le llamó guapo, ¿no te gustaría metérmela hasta el alma?

Sí, hasta tocarle el alma se la metería a Norma, dondequiera que ahora estuviese. Un poco de ternura antes de rendirme a las pesadillas, eso me vendría bien. Enfiló calle Pelai y en la plaza Universitat cogió el último autobús. Vivía en un pequeño apartamento del edificio Walden 7, en Sant Just Desvern. El viaje era largo y, con la cabeza apoyada en el cristal, al borde de la noche y de la náusea, le sobraba tiempo para lamentarse de su suerte, para amodorrarse en la miseria y en la falacia de su vida.

Bajó del autobús y, echándose el acordeón a la espalda, se dirigió tambaleándose hacia Walden 7, la maltrecha fortaleza de formas cambiantes, roja, misteriosa y sideral como un crustáceo gigantesco bañado por la luna. Marés iba esta noche tan agobiado por la soledad y la desdicha que no oyó las losetas que se desprendían de la fachada estrellándose contra el suelo.

En casa depositó la recaudación del día en una pecera, se duchó y, envuelto en un batín negro, se sirvió una ginebra en un vaso largo. Pasó a la pequeña cocina y echó en el vaso unos cubitos de hielo y un chorro de agua del grifo, y luego volvió al cuarto de baño para lavarse otra vez las manos: las sentía pringosas de tanto tocar el acordeón y contar monedas. Salió para dejarse caer en una butaca frente al televisor. La ventana estaba abierta y brillaban en la noche enjambres de luces, un parpadeo neurótico que se extendía hacia Esplugues y Cornellà, al otro lado de la autopista efervescente. Abajo, en torno al edificio, las losetas desprendidas del revestimento se estrellaban contra el suelo a intervalos regulares, produciendo un leve chasquido en las simas de la noche, casi un gemido. Y Marés evocó a Norma y los primeros días que vivieron aquí, la felicidad compartida, los sueños. También este camaleónico edificio, que albergó tantas ilusiones en los años setenta, fue a su vez un sueño: un habitáculo concebido para la pareja antiburguesa y no conformista que Norma había imaginado representar ante sus amistades, un edificio, según su creador, erigido para propiciar otras formas de vida y de relación y no sólo las de la pareja tradicional, para exaltar la libertad del individuo y la convivencia en comunidad... Todo se había ido al traste, y Marés aún se preguntaba por qué oyendo caer las losetas en las tinieblas del exterior.

Volvió a la cocina, abrió una lata de berberechos y los echó en un plato con unas gotas de limón; regresó luego a la butaca. Conectó el televisor e iba ensartando los berberechos con un palillo y bebiendo ginebra helada a sorbitos, intentando no pensar en nada, viendo las convulsas imágenes de un enorme petrolero a la deriva, escorado y hundiéndose en medio de unas aguas negras y espesas, trasegadas y letales, deseando hundirse él también en esa terrible negrura y desaparecer de la faz de la tierra, pero sin lograr apartar a Norma del pensamiento.

7

Cuaderno 2

FU-CHING, EL GRAN ILUSIONISTA

El chasis herrumbroso del Lincoln Continental 1941, sin ruedas ni motor, yace en medio del descampado rodeado de hierba alta que peina el viento. Es el esqueleto calcinado de un sueño. Nadie en el barrio recuerda cómo ni cuándo llegó el fantástico automóvil hasta aquí arriba, quién lo abandonó sobre esta pequeña loma al noroeste de la ciudad, condenándole a morir como chatarra. Está siempre varado en mi memoria en medio de un mar de hierba y fango negro y cercado por un montón de cosas muertas: pedazos de estufas de hierro, una butaca desventrada, niños de cabeza rapada fumando en cuclillas, pilas de neumáticos, mi madre borracha caminando contra el viento, somieres oxidados y colchonetas mugrientas y desgarradas.

Dejo escritos aquí estos recuerdos para que se salven del olvido. Mi vida ha sido una mierda, pero no tengo otra.

Vivo con mi madre en lo alto de la calle Verdi, en una vieja y destartalada torre con jardín situada en una ladera contigua al parque Güell. Veo la calle en pendiente, borrosa por la llovizna, como un maravilloso tobogán sobre la ciudad. En la esquina asoma la cara de un niño con antifaz negro. Soy yo, doce años, cabeza rapada, brazal de luto. El niño enmascarado mira a un lado y a otro, furtivamente, y luego cruza la calle. Veo otra vez el barrio gris y amedrentado, los gatos famélicos, los diminutos terrados, las sábanas blancas que azota el viento. En la otra esquina me junto con tres chavales, Faneca, David y Jaime. Faneca viene comiendo un boniato cocido, ha ido a un recado para la señora Lola y ha estado en la cocina de la pensión Ynes, allí siempre se pesca algo de comer. Las calles están tan empinadas que tienen escaleras. Mi barrio está tan alto, tan cerca de las nubes, que aquí la lluvia está parada antes de caer. Por no mojarnos más, nos metemos en casa. «A lo mejor está Fu-Ching, el chino prestidigitador —dice David— y nos hace juegos de manos y nos hipnotiza.» «Eso, que nos hipnotice —dice Faneca—, a mí me gustaría vivir hipnotizado.» Dentro de la casa se oye el ruido de una máquina de coser.

Veo a mi madre trabajando. La trepidante aguja de la máquina taladra una pieza de ropa estampada larguísima, que cuelga a un costado de la Singer. Mi madre ya tendría cincuenta años por esa época, gorda, astrosa, con bata, bufanda y un pitillo humeante en los labios. Mi querida madre. Está sentada pedaleando furiosamente la Singer. Tiene la cara abotargada y los ojos resacosos. A su lado hay una mesa camilla abarrotada de piezas de costura, un maniquí sin cabeza y cajas de cartón que contienen más ropa. Sobre la mesa, una botella de vino peleón y un vaso. Hay también un viejo piano arrimado a la pared desconchada, llena de fotos amarillentas clavadas con chinchetas.

Mi cara con antifaz se asoma a la galería y mi madre sufre un sobresalto que le paraliza los pies y la máquina. David se me anticipa:

—¿Está Fu-Ching en casa, señora Rita?

—Tú —dice mi madre, refiriéndose a mí—, quítate esta porquería de la cara, mocoso. Habráse visto, entrar así en las casas... Arrccc...

Eructa. Mi madre eructa. Dos veces. Cuando vuelve a mirarme, yo me quito el antifaz de la cara. Debajo llevo otro idéntico.

Hoy es sábado, y los sábados mi casa se llena de melancólicos ruiseñores y tengo que ir a la taberna de Fermín por una garrafa de vino y unas latas de berberechos. Mi madre fue una cantante lírica bastante conocida y los sábados recibe en la galería a sus viejos amigos de la farándula, retirados ya de la escena o fracasados y olvidados, y juntos cantan zarzuelas y se emborrachan de vino, llorando de emoción lírica y de nostalgia alrededor del viejo piano al que ahora se sienta un tenor regordete y sudoroso con bigotito. ¡Vaya un espectáculo para un niño! Ellos son, además del pianista tenor, una voluminosa ex vedete de revista del Paralelo de voz chillona, dos vicetiples altas y pechugonas y muy pintarrajeadas, con sus maridos, dos maduros y atildados barítonos repeinados con fijapelo, y el Mago Fu-Ching, ilusionista alcohólico vestido con el viejo kimono y el gorro chino que mi madre le guarda en casa desde hace años. Fu-Ching tiene unas manos larguísimas y bien cuidadas y luce maneras galantes y refinadas. Todos están borrachos y cantan alrededor del piano empuñando vasos de vino. La Singer ahora descansa, los pies hinchados de mi madre también. Las fotografías clavadas en la pared muestran a Rita Beni joven en diversas escenas de zarzuela o en compañía del Mago Fu-Ching, igualmente más joven, y también hay clavados dos viejos carteles anunciando operetas, y programas de mano.

Mi madre está cantando, la mano apoyada delicadamente en el hombro del pianista tenor. Derrengada por la emoción, gorda, llorosa, apretando el vaso de vino contra su pecho, la rodean sus amigos y amigas trasegando vino y bocadillos. En el centro de la galería hay una mesa con platos sucios y una garrafa grande, una barra de pan y un salchichón.

—Al pasar el caballero —canta mi madre con lágrimas en los ojos— por la puerta del Perdón, de los altos balconajes a sus pies cayó una flor...

—Una flor —le responde el coro etílico y tambaleante de sus invitados— es el comienzo de un capítulo de amor.

—Señorita que riega la albahaca —entona el pianista tenor, cada vez más reblandecido por la emoción—, si de atrevido no me tildara, yo al rosal acercarme quisiera donde florecen rosas tan bellas.

Sin dejar de cantar las vicetiples van y vienen de la mesa, aladas y eufóricas, y picotean el salchichón y se sirven vino de la garrafa.

—Caballero del alto plumero —cantan Rita y

las vicetiples sin poder controlar los gorgoritos— es tan galante su atrevimiento...

No me acuerdo del resto. Recuerdo sus voces delgadas y trémulas, trastornadas, enfermas de añoranza y trasegadas de vino. Mi madre está que da pena, llora de felicidad y abraza a sus amigos, se va a caer. Mientras todos cantan junto al piano, Fu-Ching corta unas rodajas del embutido y se prepara un bocadillo. Masticando pensativo, sus ojos sombríos y misteriosos, alargados y lentos, lubricados con una ternura asiática, vagan por la estancia hasta dar conmigo.

Estoy hundido en una butaca, en el otro ángulo de la galería, cepillando furiosamente el par de maltrechos zapatos que he de llevar en mi primer empleo. Es curioso el papel que los zapatos y su cepillado, con crema o sin ella —como en este caso, que utilizo la saliva—, han jugado en mi vida emotiva. Sé que el Mago Fu-Ching me está mirando, pero me hago el longuis. Escupo en la puntera del zapato y froto con rabia.

Los ruiseñores de la nostalgia terminan a coro la canción y ríen y aplauden, abrazándose. Algunos se acercan a la mesa a por más vino; el pianista le cede el sitio a mi madre y ella da un traspié y se cae arrastrando una silla. Se parte de la risa. La ayudan a levantarse y entonces una de las vicetiples ataca melancólicamente la canción *Perfidia*. Mujer, si puedes tú con Dios hablar, pregúntale si yo alguna vez te he dejado de adorar. Mi madre se enternece aún más y busca al Mago Fu-Ching con la mirada. Y el mar, espejo de mi corazón, las veces que te he visto llorar...

El Mago Fu-Ching se llama en realidad Rafael Amat, ahora me acuerdo. Indiferente a las tiernas miradas de mi madre, ahora está de pie ante mí, tambaleándose un poco. El kimono y el gorro chino le sientan bien. Me sonríe, levanta un poco las manos y en ellas aparece súbitamente una baraja. Me dedica algunos juegos de manos con la baraja, mientras los demás siguen cantando junto al piano. Sonriente y refinado, con una gestualidad elegante y todavía llena de precisión, Fu-Ching mueve los largos dedos con endiablada rapidez y exhibe unos dientes podridos ofreciendo a mi consideración diversos números de ilusionismo y prestidigitación. El final de la canción *Perfidia* coincide con el final de los juegos de manos y los aplausos de los invitados se mezclan con las reverencias del Mago.

—Fu-Ching agladece los aplausos del distinguido público —dice inclinándose ante mí con las manos ocultas en las mangas del kimono—. Señolas y señoles, glacias. Glacias.

—Mielda y mielda —le respondo, y me levanto bruscamente tirando al suelo los zapatos y el cepillo. Le doy la espalda y entro en mi cuarto. Cierro con violencia, pero las risas y el jolgorio apenas dejan oír el golpe. El Mago, borracho, se queda mirando la puerta.

Me veo tumbado de espaldas en mi camastro arrimado a la pared, las manos cruzadas bajo la nuca y los ojos en el techo. Junto a la torcida lámpara de flexo de la mesilla de noche, mis novelas de la colección Biblioteca Oro y mi álbum de cromos de *Los tambores de Fu-Manchú*. Llegan las voces y las notas del piano desde la galería contigua. Oigo abrirse la puerta del cuarto, pero no vuelvo la cabeza. Sé quién entra.

Desde el umbral, manteniendo la puerta abierta, el Mago Fu-Ching me está mirando. Cierra la puerta y apoya la espalda en ella. Se mira las manos y flexiona los dedos varias veces, sonriendo con aire resignado:

—Todavía tengo los dedos ágiles, pero me falla... la memoria. Sí, el coco. ¿Has visto? Confundo los movimientos, mezclo los trucos... Estoy desentrenado.

Desea oírme decir algo y espera. Luego añade:

—No te enfades con tu madre. Se ha hecho mayor, y se encuentra sola. Debes tener paciencia con ella...

—¿Como la que tuviste tú?

Me sale la voz a regañadientes, sigo sin mirarle.

—Yo soy el Mago Fu-Ching, el gran ilusionista.

Me incorporo y me siento al borde del lecho, cabizbajo.

—Si fueras un Mago harías desaparecer a todos esos gorrones.

El Mago pasea por el cuarto, gesticulando.

—¡Oh! Puedo hacerlo en cuanto me lo proponga... Pero son nuestros amigos, y están sin trabajo. Algunas personas no hemos tenido suerte en esta vida, muchacho. ¡Qué le vamos a hacer!

Fu-Ching hace un esfuerzo por controlar su borrachera. Se alisa el pelo con la mano y, con gestos lentos y precisos, se quita el kimono y el gorro, dejándolos sobre una silla. Viste un raído traje gris. Me levanto y cuelgo el kimono y el gorro en una percha del armario, tratando las dos prendas con mimo. En tono más apaciguador, más vacilante, le digo:

—¿Por qué no te quedas unos días?

—No serviría de nada.

—Siempre dices lo mismo...

—Tu madre está mejor sin mí.

Estoy ahora pensando en las muchas veces que mantuvimos este diálogo. Después venía siempre un largo silencio, que rompía yo:

—¿En qué trabajas ahora? ¿Qué haces?

—Bueno... Ando por ahí. —El Mago enciende un cigarrillo con un largo mechero dorado y gestos que me fascinan—. Fu-Ching vive bien, no hay problema. Siempre puedo contar con los amigos.

Vuelvo a tumbarme en el camastro y él se queda allí de pie, mirándome. Embustero, pobre embustero. Llegan desde la galería las voces neuróticas atacando otra canción de moda en medio de algunos aplausos. Alguien desafina mucho.

El gran ilusionista mira al muchacho tristón y pensativo que tiene enfrente y se encoge de hombros.

—Fatal. Cantamos fatal, pero no hacemos mal a nadie. —Juega con el cigarrillo entre los dedos, lo hace desaparecer—. No has cenado. ¿Tienes hambre? ¿Quieres un poco de salchichón? Maribel lo ha traído del pueblo. Está muy rico...

—No quiero nada.

—Me disgusta verte así.

—¿Cómo así?

—Me ha dicho tu madre que ya no vas a la escuela.

—Mañana empiezo a trabajar en el garaje del señor Prats.

—Vaya, eso está bien. Serás un buen mecánico.

Un silencio largo. Sin apartar los ojos del techo, junto las manos delante de la boca como si tocara la armónica y, ensimismado, como si estuviera solo, murmuro una melodía monótona y extraña que me acabo de inventar. Suelo hacer eso cuando estoy con la moral por los suelos, harto de todo.

El Mago me mira unos segundos sin saber qué hacer. Capto el chispeo de la tristeza en sus ojos enigmáticos, de oriental sonado, una sensación de abandono. Finalmente opta por dirigirse a la puerta y, cuando abre, oye mi voz:

—Padre.

Fu-Ching se vuelve. Me levanto del camastro, saco un duro del bolsillo y se lo ofrezco. Me mira con recelo.

—¿De dónde lo has sacado?

—Un trabajito extra. Cógelo.

—No, no...

—Cógelo.

El Mago duda unos segundos. Toma el dinero.

—Te lo devolveré. Tenlo por seguro.

—¿Vendrás el sábado que viene?

Fu-Ching se me queda mirando unos segundos, pugnando siempre por mantenerse erguido y sereno. Sonríe.

—Está bien. Vendré a devolverte el duro y te enseñaré un truco nuevo..., si me acuerdo. ¿Conforme?

Palmea amistosamente mi hombro y sale cerrando la puerta. Oigo a mi madre cantando melancólicamente junto al piano: «... cuando silenciosa la noche misteriosa envuelve con su manto la ciudad...»

8

ESE TIPEJO, no sabía cómo llamarle, se paró en el umbral del dormitorio y dijo su nombre dos veces: Marés, Marés. Difícil saber si entraba o salía del sueño. Llevaba el sombrero garbosamente ladeado y su mano izquierda enguantada sostenía el otro guante de piel gris con suma delicadeza, como si fuera un pájaro muerto. Apoyó el hombro en el quicio de la puerta y gastaba un aire de guaperas antiguo, flamenco y socarrón.

—A las buenas noches.

Marés tardó en reaccionar.

—¿Qué ocurre? —Encendió la lámpara de la mesita de noche, pero el cuarto siguió a oscuras y su sueño también—. ¿Quién es?

—Despierta, compañero.

Marés se frotó los ojos y protestó débilmente:

—¿Tú otra vez? ¿Qué quieres?

—Norma Valentí nos espera.

—Que te crees tú eso.

El tipo sonrió desde las sombras mirándole de soslayo, el aire pistonudo. Marés reconoció el traje que llevaba, era suyo; un anticuado traje marrón a rayas blancas, muy gruesas, con la americana cruzada y dobladillo en los pantalones. Le sentaba fenomenal. Un charnego fino y peludo, elegante y primario, con guantes y mucha guasa, con ganas de querer liarla. Su pelo negro y rizado olía intensamente a brillantina. Después de observar a Marés con ojos burlones un buen rato, dijo:

—¿Sigues obsesionao con esa mujé?

—Sigo.

—Te conviene hacer una locura, Marés.

—No puede salir bien. No insistas.

—Saldrá bien. Debes creerme, malaje —dijo entre dientes. Hablaba con un acento andaluz no muy convincente, pero la voz era extrañamente persuasiva, con una leve ronquera—. Tú déjame hacer a mí, saborío. Hablaré con esa mujé, y esa mujé volverá a tus brazos. Lo juro por mis muertos.

—¿Me estás pidiendo que te presente a Norma?

—No hace falta. Yo me presento a ella y la camelo por ti.

—Estás loco.

—Digo. Pero vale la pena intentarlo. ¿Por qué no? No hay ninguna mujé en er mundo que no se pueda reconquistar una y otra vez, si uno se lo propone de veras, si la desea por encima de cualquier otra cosa. Pero antes de ser su amante, debes ser su amigo, su confidente...

—Ella no quiere ni verme.

—Iré en tu lugar. ¿O es que aún no lo has entendío?

—Ni siquiera sé cómo te llamas.

—Tampoco yo, todavía —esbozó una sonrisa meliflua y con el guante se golpeó suavemente el ala del sombrero—. Pensémoslo un ratito. ¿Quién soy yo? Podría ser tu amigo de la infancia descarriada, un tal Faneca. ¿Lo recuerdas?

—Nunca recuerdo nada mientras sueño —recordó incongruentemente—. Porque esto que me pasa es un sueño, ¿no?

—Tú verás.

—Me estás liando.

—Yo soy —dijo el elegante murciano sin hacerle caso— aquel chavalín llamado Faneca, un charneguito amigo tuyo que un día se fue del barrio en busca de fortuna y nunca llegó a nada... ¿Lo recuerdas o no, saborío? Ibais siempre juntos. Dos muchachos desarrapados y hambrientos que oyen silbar el viento de la posguerra en los cables eléctricos, en lo alto del monte Carmelo, sentados entre las matas de ginesta y soñando lejanías.

—Me acuerdo, sí.

—Bien. Entonces ¿qué te parece mi plan? Ya sabes que tu Norma siente cierta debilidad por los charnegos. Recuerda aquella aventura fugaz que vivió con un limpiabotas y aquella otra con un camarero del Amaya...

—Sé lo que te propones. No saldrá bien.

—Confía en mí, catalanufo.

A su espalda el pasillo estaba también a oscuras, pero llegaba un reflejo turbio y esquinado desde algún espejo o desde su remota niñez adormecida en el fondo del sueño, quizá desde el estanque de aguas muertas en el jardín de Villa Valentí, cuando de chavales saltaban la verja de lanzas y se llenaban los bolsillos de eucaliptos. Ahora podía ver la mitad de su sonrisa burlona, una patilla negra azabache y un ojo pinturero, verde como la albahaca. Ciertamente, un tipo resalado. Pero su idea era un disparate.

—Que no. Fuera —dijo Marés, y le arrojó el despertador a la cabeza. Desapareció el charnego y Marés se volvió bruscamente de espaldas y se arropó con la sábana.

9

—CUXOT, anoche tuve otra pesadilla —dijo Marés—. Soñé que entraba en mi cuarto y me llamaba a mí mismo por mi nombre. Era yo, pero casi no me reconozco. Yo estaba en la cama y al mismo tiempo estaba de pie en el umbral del dormitorio, vestido de chuloputas. Una pinta de charnego de caerse de espaldas. Pelo negro ensalivado, ojos verdes, patillas. Un moreno de verde oliva, oye. Un tipo de película, Cuxot. Me llamó cornudo. Dijo que se presentaría a Norma haciéndose pasar por un antiguo amigo mío del barrio... Pero era yo mismo disfrazado de murciano chuleta y estaba allí de pie dándome la tabarra otra vez, proponiéndome una especie de broma, un plan para presentarse a mi ex mujer y ligársela de nuevo.

—¡Qué tío más pesado! —se lamentó Cuxot, sin precisar a quién se refería.

—¿Y qué quieres que le haga?

—Pero si eras tú hablando contigo mismo, ¿por qué no te callabas?

—No podía.

—Es que si tú te callas, capullo, se acaba la

discusión, porque no sois más que uno a discutir.

—No, somos dos.

—Pero lo dos sois tú. ¡Qué raro! —meditó Cuxot—. ¿Y entonces qué has hecho?

—Me levanté de la cama y me lavé los sobacos.

—¿Y eso?

—Ahuyenta las pesadillas. Me acordé que de muchacho vendía tebeos de saldo en las esquinas del barrio con el antifaz de El Coyote o contorsionado como la Araña-Que-Fuma.

—Y qué.

—Nada. Me acordé porque había un chaval de Granada, un tal Juan Faneca, que le gustaba mucho *El Hombre Enmascarado*... Dice ese loco que podría ser él. Se fue del barrio a los veinte años con una maleta de cartón, dijo que se iba a trabajar a Alemania. Estuve a punto de irme con él y mandar a la mierda este país. Toda la vida me he arrepentido de no haberlo hecho... Después me desperté.

—¿Y nunca has vuelto a ver a ese Faneca?

—Nunca.

—A lo mejor se ha hecho rico y ha vuelto.

—Después me desperté —repitió Marés, abstraído.

Cuxot suspiró:

—No hay Dios que te entienda, compañero.

Hoy Marés había buscado la compañía de Cuxot en una esquina maloliente de la catedral. En la escalinata picoteaban palomas. Cuxot era bizco, tenía la boca grande y una calva renegrida y poderosa que olía a sardinas de lata y que gustaba secretamente a las mujeres. Embutido en un abrigo de terciopelo azul, dibujaba retratos de señoras al carboncillo, copiándolos de fotografías, y le hacían muchos encargos. Su éxito no consistía en lograr un gran parecido con el original, sino en otorgarle a la mirada del personaje retratado una especial dignidad que sugería un estatus social superior.

Marés tocaba el acordeón sentado en el suelo, sobre hojas de periódico, con un cartel escrito a mano colgado en el pecho:

MÚSICO EN EL PARO
REUMÁTICO Y MURCIANO
ABANDONADO POR SU MUJER

En la explanada frente a la catedral merodeaban gitanas pedigüeñas con criaturas en brazos. Viniendo del callejón, el viento helado de febrero formaba remolinos y arrastró una blanquísima bolsa de plástico hacia la escalinata. Con una melancolía súbita, Marés constató la blancura inmaculada, etérea, del plástico a merced del viento. Salían y entraban de la catedral pausadas señoras con mantillas y abrigos negros, el cielo estaba desplomado y gris. Un mendigo derrotado por los años y las penas, la mugre y el rencor tendía la mano a las beatas.

Soy un músico zarrapastroso y perdulario —pensó Marés—, pero lo soy solamente por horas. La bolsa inflada parecía de nieve, se alejó perseguida por un zureo de palomas. Cuxot dibujaba sentado en su silla de tijera. Marés tocaba Siempre está en mi corazón, las monedas tintineaban entre sus piernas.

Más tarde apareció Serafín con una botella

de vino y Cuxot y Marés hicieron una pausa en su trabajo y bebieron unos tragos. Serafín era un jorobado que vendía lotería y tabaco en el Raval. Tenía unas manos pequeñas y bonitas y lucía un lustroso pelo negro ondulado con raya en medio.

—Mi prima Olga me ha invitado a cenar —dijo muy contento.

Un marinero que pasaba en este momento acompañado de dos chicas se quiso hacer el gracioso y tocó la chepa de Serafín. El jorobado se enfadó y luego se deprimió, cogió su botella y regresó a las Ramblas.

Marés volvió a su acordeón y a sus boleros.

—¿Otra vez con esa monserga sentimental? —gruñó Cuxot.

—Otra vez el loco amor después de tanto tiempo —se lamentó Marés—. Tu vida y mi vida, Norma. Recuérdame. Solamente una vez. Perfidia. Siempre está en mi corazón, otra vez, otra vez...

—Vamos, no seas niño —dijo Cuxot—. No hagas pucheros en la calle.

—Yo lo hago todo en la calle.

—Ella no quiere verte y tú darías diez años de tu vida por tenerla un minuto a tu lado. A que sí, tontolaba.

—Déjame en paz, Cuxot.

—Todo esto te pasa por haberte casado con una mujer riquísima. Con alguien que no te correspondía.

—La amo y sanseacabó.

—A tu edad... Debería darte vergüenza.

Marés aplastó la cara en el acordeón. Cuxot insistió:

—A tu edad, uno puede volver a enamorarse, no digo que no. No me parece decente, pero bueno... Uno puede incluso convertirse en un mamarracho y hacer el ridículo por amor. ¡Pero enamorarte otra vez de tu mujer, de la misma mujer...!

—Nunca he dejado de quererla. Nunca. ¡Ay qué dolor! —El acordeonista metió la zarpa por debajo del pasamontañas y se arrancó un mechón de pelos—. ¡Qué dolor más grande! ¡Cómo sufro!

Cuxot siguió manejando el carboncillo sin prestarle atención. Después dijo:

—¿Dónde comemos hoy?

—Me da igual.

—¿No te da vergüenza, llorar en la calle?

—Cierra la boca. Estoy interpretando a Lecuona.

Sobre su cabeza aleteaban las palomas y oía el rumor de la ciudad como el de una fronda remota o un gran río ensimismado, como el zumbido de un verano en Villa Valentí, cuando él y Norma eran felices. Poco después tenía ante sí un corro de mirones, gente apacible que se disponía a visitar la catedral o que ya lo había hecho, y que se paraba a leer su cartel sobre el pecho con una atención casi filosófica, algo socarrona.

Marés se sorbió las lágrimas y anunció:

—Respetable público, seguidamente voy a interpretar para todos ustedes Noche de ronda.

—Exxxxxchsssss... —hizo Cuxot.

Su repertorio habitual en esta zona urbana, alrededor de la plaza del Rey, la catedral y la plaza de Sant Jaume, siempre fue a base de Mozart y Rachmaninov y algo de Pau Casals, pero últimamente los viejos y románticos boleros le obsesionaban. El acordeón empezaba a tener demasiados años, pero sonaba bien, era un Hohner ligero y más sentimental de lo conveniente. Norma, Norma... Dicen que la distancia es el olvido, pero yo no concibo esa razón.

Cuxot utilizaba como reclamo sus retratos apoyados en la pared. Eran relamidos retratos de estrellas de cine muertas y de pías damas barcelonesas con mantilla y supuestamente vivas, y entre ellos había uno de Norma Valentí i Soley, ex señora de Marés, copiado de una foto que el acordeonista callejero llevaba siempre en la cartera. Era un dibujo yerto y frío y en él Norma seguía pareciendo feúcha con sus ojos almendrados detrás de los gruesos cristales de las gafas, su boca grande y sensual, su larga nariz montserratina y su pelo rizado y antiguo, una combinación extraña, tan difícil de explicar en Norma: no que fuese fea, pero que lo pareciese —del mismo modo que no parecía una mujer rica, y sin embargo lo era, y mucho—. Aunque el parecido del dibujo con la Norma real era escaso, este pintor fracasado y borrachín había captado la sutil luminosidad anacarada de la piel de Norma. A Marés no podía escapársele ese detalle porque el nácar de la nalga respingona —su mujer girando desnuda junto a la lámpara de la mesilla de noche, echándose un valium a la boca y mirándole con furor, en la confortable alcoba de Villa Valentí, diez años atrás— se había instalado entre sus recuerdos como el primer compás de Perfidia. Estas últimas semanas, por otra parte, sentía su loca pasión por ella con tal intensidad que a menudo se despertaba en la cama a medianoche gritando su nombre con desesperación: «¡Norma! ¡Norma!»

—¡Qué música empalagosa y boba! —gruñó Cuxot—. ¿No puedes tocar otra cosa?

Tatuaje. Mirando el mar. Dos cruces. Esta última pieza la tocó sujetando el acordeón con los pies descalzos, y siguió llorando desconsoladamente, hundiéndose más y más en el fango del impudor y la desvergüenza. Esta curiosa habilidad, tocar el acordeón con los pies, causaba mucha pena a los viandantes. ¡Pobre —pensaban—, además de charnego, contrahecho! Esguerrat! Una lluvia de monedas caía sobre la hoja de periódico.

10

INVITARON A SERAFÍN a comer en una tasca de la calle Sant Pau y pidieron macarrones y ensalada. Cuxot hizo descorchar una polvorienta botella de Rioja y Marés comentó una vez más su sueño de cada noche con el murciano dicharachero de largas patillas y ojos verdes, su otro yo. Insiste en seducir a Norma, dijo cabeceando pensativo, se las da de irresistible.

—No le lleves la contraria —aconsejó Cuxot—. A ver adónde llegáis en el sueño.

—¿Es verdad que a tu ex mujer le gustan los gitanos —preguntó Serafín— y que ha tenido líos con tocaores y cantaores?

—¿Quién te ha dicho eso?

—Éste. —El jorobado señaló a Cuxot—. ¿Es verdad o no?

—Pues sí —admitió Marés a regañadientes—. Nadie lo diría, con lo fina y catalanufa que es. Ahora, para disimular, se ha liado con un sociolingüista independentista.

—¿Socioqué...?

—Tan seria y formal, la señora —prosiguió Marés lamentándose, apartando el plato de macarrones que apenas había tocado—. Pues ahí la tienes, lleva una especie de doble vida.

Se bebió un vaso de vino y se sirvió otro. Miró en dirección al mostrador cochambroso, en cuyo extremo, sentado en un alto taburete y de espaldas a la barra, el charnego pinturero le miraba con la frente vendada y el despertador en la mano, sonriendo. Sobre la sien derecha la gasa estaba manchada de sangre. Llevaba su traje marrón a rayas, pero no el sombrero ni los guantes.

—Rediós, estoy muy mal —se lamentó Marés—. Sueño despierto.

Apuró otro vaso de vino. Volvió a mirar el mostrador y allí estaba Faneca, sonriéndole con recochineo.

—¿Qué tienes en la frente? —dijo Serafín indicando el rasguño sobre la ceja—. ¿Te has golpeado con el acordeón?

—¡Qué acordeón ni qué hostias! Ya os he dicho que anoche le arrojé el despertador a la cabeza.

—Pero entonces la señal debería llevarla él y no tú —razonó Cuxot.

—¡Pero es que él soy yo, tarugo! —dijo Marés con gran convicción.

Serafín rebañaba el plato y cabeceó pensativo:

—Seguro que te diste con el canto de la mesilla de noche y no te acuerdas. Eres un caso, Marés.

La aparición se esfumó de repente, cuando tomaban café y Serafín hablaba de su prima, de lo buena que era con él.

Dejaron al jorobado vendiendo lotería en las Ramblas y volvieron a la explanada frente a la catedral. Marés tocó sardanas y llovían monedas, pero en seguida, como una fatalidad, se sorprendió atacando Lisboa antigua y después Caminemos. Una señora gordita de sonrisa dulce y cabellos azulados de muñeca arrojó una moneda de veinte duros entre sus piernas. El acordeón ondulaba en su pecho y Marés pensó en la puta generosa y atenta que invitaba a su primo jorobado a cenar, para que se sintiera menos solo. Luego, repentinamente, no pasó nadie y dejó de tocar, y entonces escuchó a su lado la perorata de Cuxot, que seguía dibujando sentado en su sillita de tijera. Divagaba sombríamente sobre el cuerpo de una persona amada pintado en el recuerdo, después de muchos años; que no se recuerdan las formas, dijo, sino la luminosidad de la piel, la textura y el color. Y que eso era lo que él siempre quiso pintar, esa luminosidad, sin conseguirlo.

Su meditación en voz alta le trajo a Marés el punzante recuerdo de Norma Valentí, y de pronto soltó el acordeón y se mordió los puños desesperadamente. Aullando como un perro, se incorporó de un salto y hundió los nudillos despellejados en los bolsillos del pantalón, se agarró los genitales y empezó a dar vueltas alrededor de la hoja de periódico y del acordeón, que, retorciéndose él también en el suelo, soltaba un débil gemido. Algunos viandantes se pararon a mirarle. Cuxot seguía enfrascado en sus dibujos y apenas le hizo caso. Desconsolado, Marés golpeó la cara contra la esquina hasta que sangró el pómulo. Acto seguido recuperó el acordeón y volvió a sentarse, y empezó a tocar con la cara ensangrentada. Se paró más gente y le miraba con curiosidad, pero fueron pocos los que arro-

jaron monedas. Creían que todo era una comedia.
—No puedo más —dijo Marés, y anunció a Cuxot—: Voy a llamarla.
—No seas capullo.
—Sólo para oír su voz, hermano.
—Estás convirtiendo tu vida en un infierno —dijo Cuxot—. ¿Por qué persistes en tu loca idea?...
—No tengo más idea que ésta.
—Capullo.
—Oír el sonido de su voz, por lo menos —insistió Marés—. Aunque sea por teléfono, desde una asquerosa cabina. ¡Qué otra cosa puedo hacer!...
—Esa voz te está comiendo el coco. Te vas a matar.
—Es que no sé vivir en mí, camarada. Nunca he sabido.
—Vete al carajo.
—Ten compasión, hermano.
Este pobre amor mío, callejero y zarrapastroso, agonizando en malolientes cabinas telefónicas —se dijo—, o arrastrándose en pos de Norma cubierto de harapos y embozado con la bufanda negra, atisbándola desde las esquinas como un apestado, esperando su paso desde un portal oscuro para llamarla puta con ronca voz, mala puta... ¡Qué otra cosa puedo hacer!
Recogió las monedas y echó a correr escaleras abajo de espaldas a la catedral, tropezando con feligreses ateridos y algún turista japonés. Alcanzó la acera y se precipitó en la cabina, embistiéndola con la cabeza para abrir las puertas. Echó las monedas y marcó el número que llevaba grabado a fuego en su memoria.

Riiingggg. Vio su mano larga de alabastro, en los confines del mundo, descolgar el teléfono.

—Assessorament lingüístic. Digui?

Su voz de leche caliente se introdujo en sus venas como un dulce veneno. Oía su respiración a través del hilo. Luego escuchó ruidos en la línea. Apartó un poco el teléfono, sosteniéndolo delante de su cara. Miró con ansia el aparato del que salía la voz amada:

—Digui.

Reclinó la frente en el cristal de la cabina y se echó a llorar.

11

NORMA VALENTÍ al teléfono:

—Assessorament lingüístic, digui?

—¿Oiga? ¿Dirección General de Política Lingüística?

—Sí, digui.

—Llamo para una conzulta, ¿sabuzté? —enmascaró la voz en un tono varonil y caliente, una dicción rápida agraciada con un deje andaluz que tenía muy ensayado en sueños e insomnios—. M'han dicho qu'hable con la zeñora Valentí, la sosoli....sosolingüi...

—Sociolingüista.

—Eso.

—Jo mateixa. Diguim el seu nom.

Silencio. Marés le ofreció un carraspeo, luego un suspiro y jadeos. Sentía un nudo en la garganta. Se me parte el alma —se dijo—. Ella pensará: vaya, otro charnego analfabeto y tímido que no se atreve a preguntar.

—Perdone la molestia —dijo por fin—. Quería preguntarle un par de cositas, ¿sabuzté? Verá, tengo un problemita de escritura y me he dicho: voy a llamar a la Xeneralitá...

—Parli català, si us plau. En catalán, por favor.

—Lo parlo mu malamente, zeñora.

—Entonces procure hablar sin ese acento, porque no le entiendo. ¿Su nombre y dirección?

Otro carraspeo, otro silencio.

—Juan Tena Amores. Vivo en Hospitalet y soy del ramo del comercio. Tengo un pequeño negocio de accesorios de automóvil y mi problema es el siguiente... ¿M'escucha uzté, zeñora?

—Digui, digui.

—Con su permiso, le decía que mi problema es éste: en los cristales del escaparate de mi tienda tengo yo pintados algunos rótulos en castellano y esos gamberros de la Crida me los ensucian con *spray* cada dos por tres. En vista de lo cual he decidido poner los rótulos en catalán...

—Muy bien. Le interesa a usted saber, señor...

—Tena Amores, para servirla. Tenamores.

—... señor Tena, que, puesto que tiene usted establecimiento, puede usted contar con la colaboración de los empresarios de rótulos afiliados a Aserluz para la presente campaña de catalanización del ramo del comercio. Debe usted ponerse en contacto con los fabricantes de rótulos.

—No, pero si es una cosita de na. Yo creo que uzté misma me pué atender, si es uzté tan amable... Mire, tengo un letrero que dice: «Tubos de escape», y otro que dice: «Recambios.» Este último lo he cambiado por «Recanvis», con uve de vaca, y creo que está bien. Pero, si fuera uzté tan amable, ¿cómo se dice «tubos de escape» en catalán? ¿Oiga...? ¿M'escucha, zeñora sociolingüista?

—Sí, tomo nota. Espere un momento.

—No sé qué está pasando, su voz me llega de

muy lejos... ¿Me oye uzté? ¿Cómo se escribe eso en catalán, me hace el favor?

Oía el tecleteo de máquinas de escribir. Norma no contestaba, había apartado la boca del aparato y él la oyó preguntar a alguien de la oficina si le parecía correcto traducir «tubs d'escapament» por tubos de escape. «Collons, maca —dijo al fondo una voz de hombre, tal vez la del mismísimo Valls Verdú—, ara sí que m'has fotut», y en seguida la risa de Norma. Su voz volvió al teléfono:

—Pues mire usted, buen hombre, acaba de ponernos en un aprieto... En este momento no sabríamos decirle con exactitud. Podría ser «tubs d'escapament», ¿sabe? Con apóstrofe.

—¿Tubs d'escapament? Suena fenomenal, zeñora Norma. ¿Y con apóstrofe? ¿Y ezo qué es...?

—Pero no estoy segura. Debo hacer una consulta. ¿Por qué no llama usted a Aserluz?

—Es muy urgente. Esos hijos de puta de nacionalistas de la Crida y del Moviment Terra Lliure son capaces de prenderle fuego a mi establecimiento, los cabrones...

—Perdone, pero no hace falta insultar a nadie ni descalificar a nadie, ¿me entiende? Esto es un servicio público y le ruego que no levante la voz. Usted qué se ha creído. Le digo que tengo que consultarlo, así que vuelva usted a llamar pasado mañana o el lunes. Buenas tardes.

—¡Espere, no me deje! Por favor, sólo un minuto...

—Llame el lunes y tendrá la información que desea.

—¡Por el amor de Dios, espere, se lo ruego...! Una cosa más... Quería pedirle que me perdone uzté si la he ofendío, no era m'intención. Pero es que esos desalmados de la Crida me la tienen jurada, zeñora, me quieren acojonar. Yo sólo soy un pobre murciano, un charnego ignorante que l'estoy mu agradecío a los catalanes por haberme dao l'oportunidá de trabajo y de ser digno de vivir en esta Cataluña tan rica y plena...

—Sí, sí, bueno, tengo que colgar. Adiós.

—... que por na del mundo ofendería yo a una zeñora tan simpática y tan amable y tan amiga de los pobres charnegos ignorantes y paletos como un zervió...

—Adéu, vaja. Llame el lunes. Adéu.

—...

12

—Grrrrrrr...

Marés se encuentra vomitando en un rincón de la plataforma posterior del autobús SJ que le lleva a Sant Just desde la plaza Universitat. Ha bebido mucho vino durante toda la tarde. Ha cenado lentejas y tortilla de ajos tiernos en una tasca de la calle Hospital y ha pillado por los pelos el último autobús que sale a las 22.15. Sólo van él y otro pasajero, de pie en la plataforma trasera. Aribau arriba, el autobús gira en Còrsega, luego gira en Casanova y vuelve a girar en Travessera de Gràcia. En todos esos giros y en los siguientes, Marés siente los zarpazos de la náusea y se le extravía el pensamiento, pero reacciona vigorosamente y con la mano temblorosa del recuerdo acaricia la hermosa espalda de Norma sentada al borde de la cama... Después volvió a vomitar.

—Grrrrr...

—¡Muy bonito, hombre! —dijo el otro pasajero, un señor alto y magro—. Lo que faltaba.

—Disculpe.

—¿Le parece bonito? —insistió el hombre.

—Me siento mal.

—Haberlo pensado antes.

—¿El qué?

El pasajero tardó un poco en responder.

—Yo ya me entiendo —dijo por fin, implacable—. Si uno se siente mal y además está borracho, lo mejor es no subir al autobús.

Marés le dio la espalda y vomitó contra el cristal. Viajó por la avinguda de Pedralbes mirando la noche a través del vómito: luces y lentejas resbalando sobre el cristal. Parece mentira —gruñó el pasajero—, deberían hacerle limpiar eso. Tiene usted razón, señor. Se dejó resbalar él también en su rincón y se instaló sobre sus vómitos. Ya no puedo caer más bajo, se dijo. El pasajero le observaba con una mezcla de conmiseración y de asco, limpiándose los labios con un pañuelo, como si hubiese arrojado él y no Marés.

—Marrano.

—Por dentro estoy limpio, señor. Palabra.

—¡Hum!

—Soy un charnego en fase de reconversión. Palabra.

Carretera de Esplugues, última parada delante del edificio Walden 7. Ya estoy en casa, perdone usted las molestias. Marés salta del autobús con el acordeón a la espalda y los bolsillos repletos de monedas. Llegando al portal, las redes sobre su cabeza paran las losetas y otros objetos a menudo no identificables que caen desde lo alto. A saber lo que arrojan por las ventanas a estas horas de la noche. Vecinos desesperados. En las redes hay botellas de cava, recipientes de plástico, medias y calcetines, condones y pájaros muertos. El viento silba en los húmedos vestíbulos y en los oscuros pasadizos del maldito edificio, un laberinto de corrientes de aire ideal para pillar pulmonías. Hay que sortear los charcos de agua. El buzón rebosaba de propaganda y Marés la tiró al suelo, quedándose con un folleto al que iba pegada una sopa de sobre. También se quedó un impreso para una encuesta sobre diversas formas de consumo de las sardinas en aceite con el ruego de ser rellenado y remitido con opción a premio. El ascensor le llevó lentamente hasta la planta 12, Galería del Éxtasis, y al empujar la puerta golpeó a alguien parado en el rellano.

—¡Podría tener más cuidado, usted! —Su vecina la señora Griselda, gorda, viuda y emperifollada, parpadeó furiosamente llevándose el dedo índice al ojo derecho, enrojecido—. ¡Mi lentilla, ay mi lentilla!

La viuda se arrojó al suelo con sus pieles de conejo que olían a rayos y, arrodillada, empezó a buscar la lentilla perdida, el enorme trasero en lo alto bloqueando la salida del ascensor. ¡Ay mi lentilla! Se le veía la combinación, se le torcía la peluca rubia, se le enganchó una pestaña postiza en el pantalón de Marés, se le cayó un paquete de compresas y la revista *Tele-Guía*, y siguió protestando y arrastrándose por el suelo en busca de su lentilla.

—¡Cuánto lo siento, señora Griselda!

—¡Otra vez borracho! ¿No le da vergüenza? ¡Quite de ahí, cochino! ¡Usted y su asqueroso acordeón de taberna! —le fulminó desde el suelo con su mirada estrábica—. ¡Ay Dios mío, si no encuentro mi lentilla estoy perdida...! ¿Qué espera usted? ¡Búsquela, debe estar por aquí!

Marés ni siquiera hizo el gesto de inclinarse a mirar. ¡No pienso ayudarte en absoluto, maldita cotorra! La lentilla seguía sin aparecer y la viuda de rodillas, congestionada y chillando. Tenía un ojo glauco inyectado en sangre y el otro risueño y verde, irradiando serenidad. Finalmente, sin dejar de piafar y lamentarse, desplazó su trasero enhiesto, permitiendo a Marés salir tambaleándose del ascensor y dirigirse hacia la puerta de su apartamento esgrimiendo la llave.

—Buenas noches, señora Griselda. Le deseo que encuentre su lentilla.

Ella soltaba espumarajos por la boca.

Marés entró en su apartamento, encendió las luces, dejó el acordeón en la sala de estar y depositó la recaudación del día en la gran pecera repleta de monedas. Decidió que mañana sin falta iría a ingresarlo en la Caixa. Se quitó la ropa de faena y se duchó, se enfundó el batín y se dispuso a servirse un whisky muy cargado. Mientras empuñaba la botella, se quedó parado y enarcó las cejas pintadas.

—¿Por qué no te conformas con una tónica, Marés? Vas un poco cargado —se dijo a sí mismo—. Buena idea —se contestó—. Con mucho hielo—. Así me gusta, que seas prudente.

Luego enchufó la televisión, pero no se dignó mirarla. Entró en el dormitorio en busca de un pañuelo limpio y se vio a sí mismo entrando en el dormitorio en busca de un pañuelo limpio y de su vieja desdicha: su imagen reflejada en la luna del armario seguía siendo un calco de aquella otra imagen deplorable que le salió al paso diez años atrás.

—Hola, cornudo —se dijo—. Pasa, no te quedes ahí.

Entró apartando rápidamente la mirada del espejo, buscando cualquier otra cosa, y vio la peluca sobre la mesilla de noche. Se la había comprado hacía más de un año y sólo la había usado una vez, vergonzantemente. Dinero tirado. Era un postizo negro y rizado que se sujetaba a su propio y escaso pelo mediante cuatro clips. Algunas noches, estando en casa, solía ponérselo para ver si se acostumbraba, pero lo único que conseguía con ello era acentuar su inclinación a dialogar solo en voz alta. Además, con el postizo rizado en la cabeza, no se reconocía en los espejos. También guardaba un parche negro de terciopelo, para el ojo izquierdo, que había usado durante sus primeros tiempos de músico callejero para que no le reconocieran.

Volvió a la cocina, abrió la nevera y escogió una lata de espárragos. Abrió la lata, dispuso los espárragos en un plato rociándolos con vinagre y regresó a la sala de estar. Pero antes de sentarse a comer, fue al cuarto de baño a recoger la ropa de faena, y estaba en eso cuando, al colgar el viejo pantalón de franela, vio brillar algo dentro del dobladillo. Lo cogió. Era la lentilla de la señora Griselda.

Frente al espejo del lavabo, Marés observó la lentilla verde detenidamente. Le pareció la cosa más frágil e insignificante que había visto nunca, incapaz de transformar la visión del mundo y ni siquiera colorearla.

—¡Ajá! Esta lentilla no está graduada —dijo después de mirar a través de ella—. La señora Griselda lleva lentillas verdes por coquetería, por el capricho de cambiarse el color de los ojos. ¡Ajá!

Probó a ponerse la lentilla verde en el ojo derecho, con algún esfuerzo, y se miró de nuevo en el espejo.

—Fabulozo —dijo ceceando suavemente como Faneca—. Colozal. Un ojo verde y un ojo marrón.

Escocía, pero el sereno fulgor verde le maravilló. Se acercó más y escrutó la pupila esmeralda en el espejo cerrando un instante el otro ojo sin lentilla.

—Podrías taparte el otro ojo con el parche negro y no te conocería ni Dios... Oye, ¿y si fuéramos a gastarle una pequeña broma a la gorda Griselda? —se preguntó, y esperó la respuesta en el espejo, súbitamente excitado—: Fabulozo, compañero... Pero ¿no estás un poco borracho para andar por ahí timándote con una pobre viuda?... Después de reírnos un poco con ella le devolvemos la lentilla, ¿vale?... Digo.

Se puso la peluca rizada, el parche negro en el ojo y ajustó la lentilla en el otro, y además echó mano de un truco que recordaba haber visto hacer a los caricatos amigos de su madre cuando él era un niño: rellenos de algodón en la nariz y en la boca. Con el lápiz negro se pintó las cejas muy finas y altas, con lo que su expresión de suficiencia socarrona se acentuó. El parche en el ojo gravitaba en una cara ahora muy alargada cuya novedad era un rictus de inteligencia. Escogió el anticuado traje marrón a rayas, de americana cruzada, una camisa de seda rosa —la que llevaba el día que Norma lo abandonó, y que no había vuelto a ponerse— y una corbata granate. Se irguió de perfil frente al espejo del armario y cruzó la mirada con un tipo esquinado y vagamente peligroso, más alto y delgado que él, y con más autoridad. Cogió un bolígrafo y una carpeta, metió dentro algunos papeles en blanco y el folleto de la encuesta que había sacado del buzón, y salió del apartamento cerrando la puerta.

13

Abrió la misma viuda, envuelta en una bata amarilla y negra y comiendo un yogur desnatado. Marés ladeó la cara para ser admirado de perfil y su ojo verde y pinturero inició un parpadeo lúbrico y taimado. Habló impostando la voz:

—Buenas —una voz gangosa, ligeramente acharnegada—. Disculpe uzté las molestias, zeñora. ¿Sería tan amable y tan simpática de contestar algunas preguntas para una encuesta pública?

—¿Una encuesta? ¿Yo?

—Ha sido uzté escogía entre miles de perzonas.

—¡Ay pobre de mí!... ¿Y para qué es?

—E una encuesta por encargo de la Xeneralitá.

La señora Griselda sonreía halagada.

—¿De la Generalitat? Pero ¿a estas horas de la noche?

—Me s'ha hecho un poco tarde. —Abrió la carpeta con folletos y papeles—. E un momentito.

—¡Ay! ¿Y qué me va usted a preguntar?

—Mismamente ahora se lo digo. E zolamente una pregunta, yo m'apunto su respuesta y ya está. Va zalí en la televizión. —Esgrimió el bolígrafo, dispuesto a tomar nota—. Pero antes dígame cómo se llama uzté, haga er favó.

—Griselda Ramos Gil —dijo ella, relamiendo la cucharilla con restos de yogur—. ¿Dice que saldré en la tele?

—¿Edad?

—Treinta y siete años...

Mientras tomaba nota, Marés se paseaba de un lado a otro exhibiendo el soberbio perfil y una improvisada manera de andar, de movimientos retardados y muelles, llamando así la atención de su vecina, probando la eficacia del disfraz. Ella seguía apoyada en el quicio de la puerta, golpeándose coquetamente los labios gruesos y rosados con la cucharilla. Marés captó con el rabillo del ojo un parpadeo soñador, cierta curiosidad sensual en los ojos de la viuda, atraídos sobre todo por el parche negro y la pupila verde. Pero nada parecía indicar que fuera a reconocerle.

—¿Estao civil?

—Viuda.

El encuestador le dedicó una sonrisa seductora:

—¿Y sin compromizo, mecachis la mar?

La señora Griselda soltó una risita.

—Eso no le importa, pillín. ¡Vaya, vaya!

—Una mujé como uzté no pué estar sola. Digo.

—Nadie debería estar solo, ¿verdad, usted?

—Digo.

—Ay, me da no sé qué verle escribir aquí de

pie. ¿Quiere pasar? Estará mejor sentado en la mesa del comedor.

—No, gracias, termino en seguida. A ver, dígame...

Buscó en la carpeta el impreso con la encuesta de las sardinas en aceite y repasó las preguntas, pero ninguna le gustó. Entonces recordó que la señora Griselda era muy catalanufa.

—Ésta es la pregunta, zeñora —añadió Marés—. ¿Apoyaría uzté una iniciativa del Parlament català que estudiara urgentemente la forma de que el tenor Josep Carreras no sea considerado en el extranjero como una gloria de España, sino como un catalán universal?

La señora Griselda ni pestañeó.

—Piénselo bien antes de contestar —sugirió el falso encuestador ajustándose el parche sobre el ojo.

—No necesito pensarlo. Mi respuesta es sí. Y más aún. Lo que deberían hacer el Carreras y la Caballé es cantar ópera en catalán. ¿No doblan las películas al catalán? Pues que doblen también las óperas. ¿No le parece que sería muy bonito?

—Yo no sé, zeñora, yo zolamente soy un mandao. —Cerró la carpeta y dirigió a la viuda una sonrisa ladeada y cautivadora—. Pues musha grasia, no la molesto más.

—¿Ya está? Si no es molestia. Pregunte más, pregunte.

—Agradesío, y hasta otra. Beso su mano, zeñora.

Cogió la mano gordezuela que sujetaba la cucharilla pringosa de yogur y la besó, inclinándose ceremonioso y gentil. Ella le restregó un poco el dorso de la mano por los morros, demorándose en retirarla. Sus ojos bovinos y enrojecidos impresionaron a Marés, pues había en ellos un requerimiento falaz, un brillo decididamente sensual.

—¡Ay qué cara de cansado tiene usted! —dijo la viuda—. ¿Por qué no pasa y se sienta un rato? Pase, buen hombre, y tome algo... Su trabajo es muy pesado. Ir de piso en piso, preguntando esas cosas. La gente hoy no tiene cultura, todo le da igual. Pase, haga el favor, estoy sola...

Marés ya había descubierto que la broma resultaba menos graciosa de lo que él había pensado, pero persistía la emoción del riesgo y, además, se sentía inesperadamente cómodo en la piel del desconocido. Balbuceando las gracias, siguió a la señora Griselda al interior del piso, confiando plenamente en su disfraz y observando el trasero que se movía impetuoso. La bata estaba descolorida y se adhería a las nalgas oscilantes. Observó que era un trasero gordo, pero bonito, juvenil y vagamente enternecedor.

Se encontró en un pequeño y agobiante comedor atestado de muebles descomunales y relucientes y de cerámica popular, y se sentó relajado y feliz en un sofá forrado de cretona. Todo estaba, de pronto, envuelto en una agradable atmósfera de veinticinco o treinta años atrás, y Marés pensó en su madre y en sus efusivos amigos de la farándula batiéndose cada sábado por la noche contra la desdicha y el infortunio... La viuda le ofreció café y coñac, encendió un cigarrillo con mucho estilo y le habló de su vida solitaria. Era taquillera en un cine de barrio que pronto iban a derribar, y tenía una hija de veinte años casada en Zaragoza con un carnicero, y le gustaba el bingo y jugar a la bonoloto. Después le preguntó a Marés cómo se llamaba y él meditó la respuesta un par de segundos.

—Faneca —dijo— Juan Faneca, para zervirla, doña Griselda.

—¡Oh, llámeme Grise! Mis amigos me llaman Grise y a mí me gusta, tiene un aire extranjero.

—Digo. Parese sueco.

Se llevó el dedo al parche del ojo para asegurarse de que seguía allí, y ella dijo con una sonrisa triste:

—¿Perdió el ojo en algún desgraciado accidente?

—Lo perdí en el ruedo.

—¡No me diga! ¿Fue usted torero?

—Digo.

—Pues el parche le está divinamente. El negro favorece mucho.

—Se agradece el cumplío.

—¿Sabe lo que me gustaría?

—No.

—¿No se reirá usted de mí si lo expreso así de pronto de esta manera?... Me gustaría que me llevara usted al teatro. ¿Me llevará al teatro alguna vez?

—¿Al teatro? Bueno, ¿por qué no?

—¿De veras? ¡Oh, ¿de veras?!

—E uzté muy zaleroza.

No sólo no me ha reconocido —pensó Marés—: le gusto, me encuentra atractivo. Mientras ella llenaba otra vez las copas de coñac y hablaba de cuando iba mucho a los teatros con hombres guapos, él se levantó y paseó, dejándose admirar de perfil. Pero no fue plenamente consciente de su irresistible poder de seducción, de su agitanado y misterioso efluvio sexual, hasta que no vio a la señora Griselda sentarse inesperadamente sobre un cojín en el suelo con los ojos entornados por el humo del cigarrillo y por algún ensueño personal, alada y juvenil y gorda al mismo tiempo, como si se hallara en un *party* informal liberada al fin de inhibiciones. Estuvieron charlando así un buen rato, él sentado en el sofá y ella en el suelo, y él ya se iba a despedir dando el experimento por concluido con éxito (no me reconocería en toda la noche, se dijo) cuando la viuda se levantó y, tendiéndole la mano, le invitó:

—Venga conmigo.

—¿Cómo...?

—Quiero enseñarle una cosa.

Lo cogió de la mano, lo llevó al pasillo y abrió la puerta de su dormitorio. Era la mejor habitación de la casa, luminosa y limpia, y estaba decorada para que durmiera en ella no una viuda gorda y romántica, sino una niña. El empapelado de las paredes mostraba dibujos de elefantitos rosados, jirafas y cebras. Sobre la amplia cama, que lucía una colcha azul celeste, había un gigantesco oso blanco de peluche. El aire olía a agua de rosas y todo parecía sencillo y confortable.

Marés sintió un repentino jolgorio en las ingles. La señora Griselda se adelantó hasta la cabecera de la cama y apagó el cigarrillo en un cenicero de la mesilla de noche. Luego cogió el gran oso de peluche y lo estrechó cariñosamente entre sus rollizos brazos sonrosados. De espaldas a Marés, dijo:

—¿Le gusta mi osito?

—Digo. Parese de verdá.

Ella guardó silencio. Irguió la espalda y encabritó las nalgas, que se marcaron otra vez impetuosas bajo la tela amarilla de la bata. Entonces giró la cabeza por encima del hombro y su mirada estrábica languideció:

—¿Qué pensará usted de mí, después de enseñarle mi alcoba? —Y cerró los ojos muy despacio.

De repente, por alguna extraña razón, Marés fue consciente de lo miserable e irreal que se había vuelto su vida. De la desesperación y la soledad que se agazapaban detrás de su mascarada y detrás del osito blanco. Pero, incapaz de controlar su excitación, vencido por una mezcla de compasión y revanchismo y por una especie de tontería sentimental que le crecía en el pecho, avanzó hacia la espalda de la viuda. Nunca le había gustado aquella mujer, y sin embargo se sentía atraído hacia ella por una fuerza extraña. Presentía confusamente que su papel era usurpado, que el que avanzaba hacia la señora Griselda era otro. Llegó hasta ella y, cogiéndola firmemente por las caderas, encajó sus ingles en las nalgas respingonas y duras. Al mismo tiempo, mordisqueó la nuca dulce y floja, como de algodón. La señora Griselda dejó escapar un suspiro y mordió una oreja del osito blanco, abrazándolo con más fuerza. Marés la tumbó sobre la cama juntamente con el oso y rodaron los tres sobre la colcha celeste, en la que, ahora, él observó manchas de vino. Y entonces se abandonó feliz y confiado a esa apariencia, a esa ficción murciana y apasionada que estaba representando con peluca rizada y parche negro en el ojo, a ese personaje de trapo con rellenos de algodón y tan artificioso como el oso de peluche, aunque por sus venas, al menos en este momento, corriera fuego de verdad...

En el instante de máximo placer se vio reflejado en la mirada de vidrio del oso. Detrás del sabor a yogur, en la boca sedosa de la señora Griselda anidaba un picajoso sabor a nicotina.

14

TUVO QUE METERSE en el ascensor para simular que se iba a la calle, pues la viuda se le quedó mirando desde la puerta entornada del piso, mostrándole todavía medio muslo por la bata abierta y diciéndole adiós con la gorda manita, y luego volvió a subir a la planta 12 en el mismo ascensor y se escabulló hasta su casa. Sintió renacer una ansiedad que no controlaba. Sentado frente al espejo, se despojó lentamente de un disfraz al que ya se habían adherido secretamente otros afanes y sudores, y en seguida apareció la jeta yerta y desdichada de Marés atisbándole detrás de la nube ciega.

—Eres un imbécil. Pobre mujer —dijo—. Qué. No hacemos mal a nadie —gruñó quitándose el parche del ojo—. A mí no me incluyas, charnego de mierda, has sido tú. —Y tiene una piel muy fina y un gran corazón...

Le dolían todos los huesos y se acostó en seguida. Persistía la mirada de vidrio del oso de peluche cuando empezó a dormirse. Primero se introdujo en el sueño un furioso olor a brillantina y poco después le vio sentado al borde de la cama con las piernas cruzadas y el sombrero sobre una rodilla. Marés se incorporó sobre los codos. No encendió la luz de la mesilla puesto que le veía perfectamente. El atildado charnego palmeó amistosamente las manos de Marés cruzadas sobre el sexo por encima de la colcha y dijo:

—¡Qué! ¿Te decides de una vez?

—Es un disparate.

—Hemos probado con tu vecina y ha salido bien. Mejor de lo que esperabas.

—Mi vecina está medio cegata y es una pobre solitaria.

—Todos somos unos pobres solitarios. Tu Norma también.

—Te digo que no va a funcionar. Ni siquiera como broma.

—Ya. Te conformas con oír su voz por teléfono.

—Yo no me conformo con nada. Mi mal no tiene cura.

—¡Vamos, hombre, ánimo! Ella está esperando a un hombre como yo. —Y sonrió a la nada o al futuro, como si le hicieran una foto—. Mírame y convéncete.

Marés le miró con curiosidad. Faneca lucía el parche en el ojo y litros de brillantina en el pelo, y se había embutido otra vez su traje marrón a rayas, con la americana cruzada muy ajustada. Le sentaba bien. Abajo, en la calle, se oyó un golpe seco, como de un plato estrellándose.

—¿Qué ha sido eso? —dijo Faneca.

—Losetas que se desprenden de la fachada. Este edificio se cae a pedazos, como mi vida. Pero no importa, porque estoy teniendo un sueño, y las losetas que se caen en los sueños no hacen daño a nadie...

—Despierta ya, malaje.

—Nunca sueño que me despierto.

—Ahora tu vida cambiará —susurró Faneca en la sombra—. Déjalo de mi cuenta.

—Vete —dijo Marés—. Me viene otro sueño.

Notó que se hundía en el vacío y se desquiciaba y al mismo tiempo no podía dejar de pensar en Faneca y de verle. Faneca era exactamente el tipo que necesitaba: embustero y camaleónico, atrevido y rufianesco. El compañero loco que hace lo que tú no te atreves, el amigo que se la juega por ti.

Por su parte, Faneca se mantuvo al margen de esta depresión de Marés y observó con curiosidad e impotencia su desquiciamiento. Ahora, Marés, yo salgo de tu sueño y entro en el mío, le dijo. Y con esta reconfortante idea, uno y otro acabaron de hundirse en un sueño más profundo y vertiginoso.

15

PRONTO LLEGARON LAS NOCHES de carnaval y la inquietud de Marés aumentó. Terminaba su jornada laboral y no se iba a casa, se metía en algún bar del Raval con el acordeón colgado al hombro, pedía un bocata y un vaso de vino y sufría ataques de melancolía y de llanto.

Entraba en los lavabos para mirarse en los espejos: en una ciudad esquizofrénica, de duplicidades diversas, pensaba, lo que el ciudadano indefenso debe hacer es mirarse en el espejo con frecuencia para evitar sorpresas desagradables... Alguien, no sabía quién, le seguía a todas partes.

La noche del martes, Marés y Serafín, el chepa, estaban en un bar de las Ramblas bebiendo vino blanco en la barra. Fuera hacía frío, pero no mucho. Serafín iba disfrazado de limpiabotas ramblero y sostenía firmemente con la mano derecha una auténtica caja de betún. Llevaba en el ojo izquierdo el parche negro que le había prestado Marés y una peluca azabache bastante asombrosa, abundante y rizada, además de patillas y bigote postizo. Parece un niño disfrazado de viejo, pensó Marés.

Olga entró en el bar, besó a Serafín en la mejilla y le dijo:

—Primo, solete, qué disfraz más bonito.

—¿Te gusta, Olguita?

—Chachi, de verdad.

Le corrigió el bigote y volvió a besarle. Ella no iba disfrazada. Llevaba un chaquetón de pieles sobadas que olía suavemente a caramelo y una falda verde abierta en el costado. Cinco minutos antes estaba en la acera del restaurante Amaya discutiendo el precio de un polvo con un cliente. Era una muchacha bajita y culona con perfil de gato. Se sentó a la barra, pero no quiso beber nada. El plan para esta noche era tomar unas tapas y unos vinos por ahí y después llevar a su primo Serafín a la fiesta de disfraces que daba su amiga Rosario.

—Te prometí que lo pasaríamos en grande y vas a ver —dijo Olga palmeando la chepa de Serafín—. Te acordarás de esta noche y de la prima Olga.

Pero no parecía muy entusiasmada con la idea. A Marés lo miró con recelo un par de veces. Le preguntó si también iba a la fiesta de Rosario y, al decirle Marés que no, se tranquilizó. Entonces miró al chepa de arriba abajo con una mirada rápida y furtiva que entristeció a Marés. Luego, de pronto, exclamó mierda, dónde tengo la cabeza, y se golpeó la frente con la mano. Dijo que se había olvidado de devolverle a una compañera unos dineros que necesitaba de urgencia. Prometió volver en diez minutos. Besó a su primo en las patillas postizas, brincó del taburete y se fue.

16

CON LA CAJA DE BETÚN en la mano, Serafín salió a escupir a la noche y de pasó miró si venía Olga. En el fondo de su alma sabía que no volvería. Si en toda su vida ninguna mujer se había portado bien con él, ¿por qué había de ser distinto esta noche con la puta de su prima? Ahora subía desde el puerto una música de fanfarria. El jorobado tenía pupas en las comisuras de la boca y se las lamía todo el rato. Normalmente, su cara de niño estaba llena de jolgorio, pero ahora sufría. Durante el día vendía lotería y tabaco por la zona que va del teatro Liceo a Colón. Ramblas arriba desfilaban carrozas alegóricas, fantasmales máscaras de cartón piedra y zancudos que tocaban el violín. Serafín levantó el parche del ojo con el dedo pulgar y miró el bullicio en el Pla de la Boqueria y la riada de gente adentrándose en la calle Sant Pau. «Ésta no vuelve», musitó con la voz carrasposa.

Desde que Olga se fue, media hora antes, no había soltado la caja de betún. Pasó del vino blanco a la *barreja* y ya se había bebido tres vasos. El cuarto lo derramó sobre la camisa sin querer y cojeaba un poco y tenía la joroba encaramada a su hombro izquierdo. Conforme pasaba el tiempo y Olga no aparecía, su cuerpo maltrecho se iba torciendo hacia la derecha. Volvió a entrar en el bar y dijo:

—No viene, Marés.

—Tranquilo. La habrán entretenido.

—Y un huevo. Ya me extrañaba a mí tanta chamba...

Dejó la caja de betún en el suelo, junto a la barra, restregó con la punta de la lengua las comisuras de la boca y miró a su amigo con aire de desamparo. Los dos sabían que la puta no volvería.

—Será mejor que me vaya a dormir —dijo Serafín.

Era tan grande su ilusión por salir esta noche con su prima, disfrazado de limpia ramblero, que a las diez de la mañana Marés ya le había visto deambular por el Raval con su disfraz completo, incluida la caja de betún; llevaba bajo el brazo una barra de pan, y Marés, que salía de un bar después de tomarse un café y una pasta, le vio pasar fascinado y no le dijo nada. Por una extraña alquimia de las apariencias, el disfraz hacía al jorobado más alto y apenas se le notaba la chepa ni cojeaba. Era otra persona, y Marés sintió de pronto la imperiosa necesidad de seguirle sin que se diera cuenta. No acertó a explicarse el porqué de su comportamiento; una cierta nostalgia de aquella emoción infantil de ir disfrazado por la calle, tal vez, algo que sin embargo no tenía nada que ver con los carnavales: cuando Marés era niño no se celebraba el carnaval, estaba prohibido. No sabía lo que era. Sentía un extraño deseo de ir tras él y preservarle de algún mal, quería vigilar sus andares, asistirle: como si el disfraz le otorgara por fin una identidad, Serafín caminaba de prisa y braceando, balanceando alegremente la caja de betún cogida del asa. Iba tan decidido que parecía querer dejar atrás su chepa y su torcida existencia. «¡Limpia! ¡Limpia!», gritaba. Entró en una charcutería y pidió unas lonchas de jamón, se hizo un bocadillo con la mitad de la barra y se lo comió por la calle. Marés lo siguió por las callejas del Raval, atisbándole, fascinado, sintiéndose como un autómata arrastrado por un espectro.

Ahora Serafín rindió la cabeza sobre el pecho.

—No volverá —dijo—. Me voy a dormir.

—Tómate otro vino. Es temprano —dijo Marés—. Oye, es muy bueno tu disfraz.

—La caja de betún es de verdad. —Animándose un poco, abrió la caja para que Marés viera los cepillos, los botes de crema y la gamuza—. Me lo ha prestado Jesús, que ahora trabaja en un taller de posticería. También me ha prestado la peluca y las patillas.

—Estupendo.

—Todo ha sido idea mía. —Serafín terminó su *barreja* de un trago, retocó su peluca de abisinio y añadió—: En Cádiz ella tenía un novio que era limpiabotas. Un hombre que se portó con ella de putamadre. El único que la quiso de verdad. Era muy alto y llevaba un parche en el ojo, como éste. ¿Comprendes? Olga siempre se está enrollando con el recuerdo de ese hombre, y pensé que le gustaría...

—Comprendo, hermano —dijo Marés—. Tienes menos cerebro que un mosquito.

Fugazmente imaginó al hombre de Cádiz, vio su ojo sano e inmisericorde posado en la chepa de Serafín. Mientras, el falso limpiabotas se miraba en el espejo del bar con ojos de conmiseración y meneando la cabeza.

—Tienes razón, joder —dijo—. No ha sido una buena idea.

—Que sí, hombre. Estás muy propio con el parche en el ojo.

—Siempre seré un mamarracho. Siempre.

Marés llamó al barman.

—Otra *barreja* para el amigo y otro vino para mí. Rápido.

—Yo me voy —insistió Serafín—. Olga no volverá, no me llevará a la fiesta ni vendrá a dormir a la pensión. Se acabó.

—Creo que tu disfraz le ha gustado mucho. De veras. Si ahora te da plantón, no será por eso. Además, es temprano para ir a cenar.

—Ésta ya no vuelve, seguro. ¡Maldita sea mi suerte!

Intentó arrancarse las patillas y el parche y Marés se lo impidió:

—No hagas eso. Te queda muy bien. —Y con su voz de ventrílocuo, imitando a no sabía quién y sin saber muy bien por qué, añadió—: Esta noche eres otro y debes aprovecharlo, amigo.

Serafín lo miró asombrado.

—Tendrías que hablar siempre con esa voz. Es muy romántica y seguro que a las tías les hace tilín...

El bar se estaba llenando de humo y de ruidos y empezaba a llegar gente con caretas, capuchas y antifaces. Iban por la sexta ronda de la segunda tanda y Serafín se tambaleó. Marés dijo:

—Esta noche eres otra persona, no lo olvides y lo pasarás bien.

—¿Qué quieres decir?

—Olvídate de la furcia Olga y de su primo, ese chepa del carajo. ¿Me comprendes?

—No. Maldita sea, me voy.

—No te hagas mala sangre, no seas tonto. Conozco a una mujer rica y distinguida que se volvería loca por ti y por tus cepillos y betunes...

—¿Sí? ¿Quién?

—Oye una cosa. ¿Sabías que yo fui limpiabotas?

—¿Y si me presentara a la fiesta de Rosario así por las buenas?

—Te decía que yo de chaval fui limpiabotas. Sólo un verano, en el cuarenta y tres, en la plaza Lesseps.

—No te creo. Nunca has querido contarme la verdad... ¿Tú quién eres en realidad, Marés? ¿De dónde sales, con tu acordeón y tu cara de seda? ¿Es verdad que vives en Sant Just Desvern como un señor, en un pisito de lujo que pertenece a tu ex mujer?

—Vivo en un sueño que se cae a pedazos.

—Cuxot me dijo que tu ex es riquísima y que vive en una torre fantástica del Guinardó...

Marés se descolgó del taburete. «Cuxot el bocazas. Le tengo dicho que no hable de eso.»

—Te acompaño a casa, Serafín.

—La de tumbos que da la vida, ¿verdad, Marés?

—Te acompaño.

—Es el destino de la vida.

—No te aflijas, coño, no pasa nada.

—Es la mala suerte de cada uno. Estás en el bombo, te toca y te ha tocado. Y ya está.

—He dicho que te llevo a casa. Vamos.

17

En la acera sortearon un vómito azul. No es nuestro, dijo Serafín. Se deslizaban por las angostas callejas como sombras, evitando la algarabía de máscaras e imposturas. ¿Y ese favor que me ibas a pedir, Marés? Me lo pienso, chepa, ya que ahora mismo ignoro qué favor quería pedirte...» Marés piensa también en las casi dos horas que lleva esta noche a su lado. Bebiendo con él. Aguantándole. ¿Por lástima, por la putada que le ha hecho su prima? No exactamente... Ese humilde y a la vez tenebroso disfraz de limpiabotas... Serafín camina como un mono, la caja de betún balanceándose en su mano, y Marés le sigue de cerca por la estrecha acera, atisbándole como esta mañana, estudiando sus abruptos movimientos de simio, espiando esa otra identidad. Pasa entre sus piernas un gato escuálido y lento, una jeringuilla cruje bajo su zapato, una joven pareja de *yonkies* espera su trocito de cielo sentada en el bordillo. Sus pupilas insomnes y dilatadas escrutan la noche enmascarada.

Serafín vivía en una fonducha detrás de la plaza Real, en un cuarto sucio y mal ventilado.

Clavados en la pared había docenas de cromos y fotos de la soberbia águila real. Nada más entrar, Serafín suelta la caja de betún, enciende una lamparita clavada en la pared y se echa en el sofá-cama gruñendo como un perro. No tiene ganas de hablar. Extiende el brazo, conecta el televisor portátil y aparecen caballos encabritados en una plaza abarrotada de gente. El televisor y el frigorífico están encarados y se miran cada uno desde su rincón, coronados de cascos de cerveza. Marés sale a mear en el retrete del pasillo. Serafín dice algo del Tío Pepe en la nevera, que guardaba para Olga. Cuando vuelve Marés se ha dormido con el rizado pelucón torcido en su cabeza, el parche en la frente y una patilla en los morros. Parece no solamente borracho; parece que lo hayan zurrado. Sobre su alborotada máscara flota la querencia espectral del recio amante de Cádiz, el hombre que él hubiese querido ser por una noche. ¿Qué estoy haciendo aquí, velando los sueños enfermizos de un jorobado solitario y amargado?, se dijo Marés, y pensó en la señora Griselda y en sus apremiantes besos con sabor a yogur.

Le tocó suavemente el hombro y susurró:

—Oye, ¿me prestas tu disfraz? —con una voz que no pretendía ser oída—. Vamos a darle un susto a esa cabrona. Sé dónde encontrarla, estará con su chulo.

—Bah. Para qué —balbuceó Serafín.

—Se lo tiene merecido, por dejarte tirado. Tú déjame hacer a mí.

El jorobado no se movió. Marés le quitó el parche y la peluca y luego le arrancó, con sumo cuidado, el bigote y las patillas. También le quitó el chaleco y la camisa negra, que puso sobre la caja de betún. Las dos prendas olían intensamente a *barreja*. Por el ventanuco sobre la calle del Vidre llegaba el jolgorio de la plaza Real. Marés observó las rizadas patillas en su mano. Su contacto rasposo le recordó la pelvis impetuosa y electrizante de Norma, y sintió un nudo en la garganta y de nuevo aquella maldita pena de sí mismo. Se colocó los postizos con sumo cuidado y, aunque no había espejo, se miró en la pared como si lo hubiera, de frente y de perfil. El bigote y las patillas se adherían a la piel nada más tocarla, como si la desearan. La peluca me acabará de freír los sesos, pensó con extraña lucidez. Se quitó la vieja gabardina y el jersey y se puso la camisa negra y el chaleco. Entonces sintió las arcadas y se sentó al borde del camastro. Después de vomitar, su rostro se transfiguró: labios demasiado encendidos y una desolación perruna en la mirada, inane, sin luz, sin reproches ni lástima de sí mismo.

Abrió la nevera y bebió un trago de Tío Pepe helado. Se sintió otro hombre. Se agachó despacio, tanteando el vacío a su alrededor, y, sin dejar de mirarse en la pared, empuñó el asa de la caja de betún que le aguardaba en la sombra. «¡Limpia! ¡Limpia!», anunció emboscado en el espejo imaginario con la ronca voz de Serafín.

18

CAMINANDO TORCIDO, con la caja de betún en la mano y vestido con las ropas del jorobado perfumadas por la *barreja,* Marés se dirigió a la plaza Real y entró en una cervecería.

—¡Limpia! ¡Limpia! —dijo en atención al disfraz.

El local estaba muy concurrido, había caretas y capuchas, mucho humo y gritos y tufos de frituras. Tal como había supuesto, Olga estaba con un mozalbete espigado y rubio en una mesa del fondo. La reconoció a pesar del antifaz plateado. Marés se abrió paso con los codos, la espalda arqueada, recitando con la voz rota de Serafín: «¡Limpia! ¡Limpia!»

La imitación de la voz debía de ser buena, porque antes de alcanzar a verle, ella levantó la cabeza alertada y le buscó con los ojos entre la concurrencia. Marés se plantó delante de la pareja, acentuó su joroba y miró a Olga. Ella puso cara compungida y empezó a decir:

—Déjame que te explique...

Marés cogió de encima de la mesa un vaso rebosante de Pipermint y, lentamente, derramó el verde líquido sobre la cabeza de la muchacha.

—Esto por burlarte de mí, prima —dijo con la voz bondadosa y quebrada del jorobado—. Por dejarme tirado con mi bonito disfraz, niña, por no cumplir tu promesa. Mala puta. Ojalá se te pudra el clítoris.

Olga empezó a chillar y su chulo se levantó de la silla dispuesto a pegarse con él. Pero el joven rubiales no tenía ni media hostia y toda la furia se le iba en aspavientos. Marés amenazó con estrellar la caja de betún en su cabeza y entonces fueron separados por algunos clientes. Empapada de Pipermint, Olga se puso a llorar y el falso limpiabotas aprovechó la confusión para escabullirse a la calle.

Poco después, deambulando por las Ramblas, se sentía un poco alelado y se dejó llevar un trecho por el vaivén de la gente y la fanfarria del carnaval. Estaba frente al Liceo. Tenía dos opciones: volver al cuartucho de Serafín y recuperar la pálida jeta de Marés y su melancolía, o cruzar las Ramblas y tomarse unos vinos en el Café de la Ópera. Decidió lo segundo, y fue una decisión que había de cambiar el rumbo de su vida.

19

Encorvado y renqueante, con su parche en el ojo y la caja de betún en la mano, Marés cruzó precavidamente el umbral del Café de la Ópera tanteando el suelo con el pie como un ciego que, parado en lo alto de una escalera, teme no encontrar el escalón y precipitarse en el vacío.

—¡Limpia! ¡Limpia! —se animó oscureciendo la voz, agazapado y falaz, adentrándose en el concurrido local. Había mucho humo, el guirigay de conversaciones se hacía estridente y buena parte de la clientela lucía disfraces. Un agitado mar de cabezas pintarrajeadas, con los adornos más insólitos, se extendía desde la entrada hasta el fondo del Café. Marés se abrió paso hasta el extremo de la barra y pidió una *barreja,* pero el camarero no le oyó. De pie a su lado había un grupo muy animado bebiendo cava en copas altas. Por lo que Marés pudo oír, esperaban a unos amigos para ir juntos a una fiesta. Debajo de las pieles y abrigos, echados con descuido sobre los hombros, lucían disfraces caros. Junto a las copas, en la barra, habían dejado las caretas y los antifaces. Una de las mujeres iba de puta portuaria, de esas que en las viejas películas francesas se apoyan en una farola con la falda de satín negro abierta en el costado y susurran *chéri* con la voz venérea y los ojos entornados por el humo del cigarrillo. Llevaba unos pendientes de bisutería barata en forma de media luna, medias negras y zapatos verdes de tacón alto, y Marés observó sobre sus hombros una cazadora de piel idéntica a la que él había regalado a Norma diez años atrás... Observando ahora con más atención, vio no sólo que era la cazadora de Norma, sino que era Norma en persona quien la llevaba.

—¡Santo cielo! —ahogó en su garganta, y se retorció exagerando la joroba y así de paso observarla mejor. Muy maquillada, con sombras azules sobre los párpados y las cejas muy altas, llevaba sus inevitables y poderosas gafas de gruesos cristales llenos de dioptrías que le daban a sus ojos entrecerrados una fijación maniática, una frialdad obsesiva. Seguía sin ser hermosa, pero conservaba, a sus treinta y ocho años, una espléndida figura y aquel aire de calculado extravío, una voz colorista y una sugestión ligeramente gaudiniana, como de cerámica troceada: un capricho en los rasgos, una ondulación en las formas. Tenía los ojos largos y separados, la nariz recta y los pómulos altos, levemente constelados de pecas. Y, sobre todo, la boca carnosa y pálida, sin sangre, de muñeca.

Después, al fijarse en sus acompañantes, Marés también los reconoció: Gerard Tassis y su mujer Georgina vestidos de amigos de Gatsby, y a su lado Mireia Fontán vestida de Lady de Winter. Totón, marido de Mireia, no llevaba disfraz, y Eudald Ribas iba enfundado en un elegante esmoquin. Los amigos predilectos de Norma, pertenecientes a un selecto gremio de sociólogos y asesores de imagen que él detestaba. En su momento los había tratado poco y ahora parecían igual de superfluos y dicharacheros, igual de ricos y divertidos, aunque ya cuarentones.

—¿Hasta cuándo vamos a estar aquí esperando a ese pelma de Valls Verdú? —dijo Tassis mirando a Norma de reojo.

—Y a los Bagués —añadió ella.

—Los Bagués no es seguro que vengan —dijo Mireia—. Ita lo está pasando fatal últimamente, no está para fiestas.

—¡Qué prisa tenéis! Aquí se está muy bien —dijo Ribas.

—Ita me da mucha pena —insistió Mireia.

—No ha tenido suerte —dijo Georgina.

—¿Os dais cuenta? —dijo Norma apoyándose de espaldas a la barra. Meneó tristemente la cabeza y sus medias lunas de quincalla tintinearon en sus orejas adorables—. Todas nuestras amigas del colegio han sido desgraciadas en el matrimonio. Isabel, Paulina, Ita...

—Y más que ninguna, Eugenia, que además está enferma y sola —dijo Georgina—. Pobre Eugenia...

El tintineo hizo que Norma oyera mal:

—¿Leucemia?

—Separada del marido —aclaró Georgina—. Como tú.

—Pero eso no produce cáncer, querida —respondió Norma.

Como siempre que Totón Fontán estaba con ellos, hablaban casi todo el rato en castellano con esa pronunciación gangosa y enfática tan característica de las familias rancias del Eixample. Fugazmente, a través del único ojo útil, Marés observó lo que el tiempo había hecho con ellos. No gran cosa, maldita sea. Después de diez años, mientras él se hundía en el anonimato y en una decadencia física más ignominiosa que la vejez, podía decirse que ellos se mantenían en forma, erguidos y lustrosos. El emboscado Marés merodeaba a su alrededor aguzando el oído y buscando llamar la atención del mozo de la barra, a quien Lady de Winter solicitaba en este momento.

Norma no prestó atención al limpiabotas agitanado que reclamaba su *barreja* con ronca voz. El mozo le atendió por fin. Norma se miraba los zapatos verdes, algo deslustrados. Marés consiguió hacerse un sitio en el extremo de la barra, junto a Ribas y Norma, y se miró en el espejo modernista que lo repetía en otro espejo frontal hasta el infinito: un tipo rastrero, agazapado junto a Norma, alentando la mentira con su aire de charnego esquinado y pestañón, un poco canalla. Bebió su *barreja* subrepticiamente, como si se sintiera espiado y en precario equilibrio, ni sentado ni de pie, escindido y paradójico. Estaba allí y se sentía lejos. Percibía una alegría en el corazón y, por encima de todo lo demás, el olor de los cabellos de Norma y hasta el calor de sus caderas.

Sospechó que hablaban de él al oír de pronto, en medio de toda la algarabía de palabras cruzadas, una irónica reflexión de Eudald Ribas en voz alta:

—¿Cómo pudo esa pulga de barrio subirse a la grupa de una rica heredera?

—Digamos que me enamoré —dijo Norma desdeñosamente—. No ha vuelto a ocurrirme nunca, por cierto.

—Eso no lo explica todo.

—Fue el clásico braguetazo —dijo Tassis—. No hay nada que explicar.

—A propósito —dijo Totón—, alguien me ha dicho que le vio vestido de perdulario y tocando la flauta en las escaleras del metro.

—Tocando el violín —corrigió Ribas.

—Tenía que acabar así —dijo Lady de Winter.

—¿Por qué no hablamos de otra cosa, Eudald? —propuso Norma, y su mirada distraída se posó en el encorvado limpiabotas. Observó la extraña torsión de la espalda y la rizada cabeza agachada entre los hombros, y sintió un escalofrío.

—¡Pobre diablo! —dijo Ribas—. A mí me caía bien. ¿Queréis saber por qué?

Acodado en la barra, Marés aguzó el oído. Según Ribas, Joan Marés se había hecho a sí mismo, es decir, había encarrilado su propia vida sin un céntimo en el bolsillo y sin relaciones provechosas. Y eso tenía mérito. El curioso episodio de su encuentro con Norma en un local de los Amigos de la Unesco, quince años atrás, durante una huelga de hambre contra el régimen, fue para él un regalo de la diosa Fortuna, un día de chamba, pero en el transcurso de su posterior relación con Norma, después del mutuo y fulminante enamoramiento, se ganó a pulso el acceso a Villa Valentí. Y no fue una empresa fácil —añadió Ribas—, teniendo en cuenta que Norma era hija única y que sus tíos la vigilaban bien. Ribas recordaba perfectamente al Marés de esa época, su madurez física, su autoridad sobre Norma: con su abundante pelo castaño peinado hacia atrás y sus ojos color miel un poco tristes, algo bajo de estatura pero guapo, su sonrisa cautivadora sugería cierta indigencia moral y tenía la piel de la cara salpicada de granos: siempre, incluso ya casado e instalado en Villa Valentí con Norma, arrastró el estigma de los desnutridos y los desposeídos.

Encogiendo los hombros, simulando una joroba recóndita y dolorosa, el limpiabotas empuñó la caja de betún y se abrió paso hasta el centro de la tertulia rozando la muelle cadera satinada de Norma, que seguía de espaldas a la barra.

—¿Limpia, señor? —dijo temerariamente, mirando a Totón Fontán a los ojos.

—No, gracias. —Totón se hizo a un lado para dejarle pasar, y añadió mirando a Ribas—: Creo que tienes razón. Yo apenas le traté.

—Según Eudald —intervino Tassis—, era un trepa.

—¡Hala! —protestó Ribas—. Yo nunca dije eso. No era más que un huérfano criado en un barrio pobre.

Marés advirtió que Eudald Ribas era el único que hablaba de él con ironía y distancia, sin resentimiento. Norma no atendía a la conversación, al menos aparentemente, y a ratos cuchicheaba con Mireia.

—Eres un ingenuo, Eudald —dijo Tassis—. Yo siempre le consideré un tipo resentido y peligroso.

—De eso nada —sonrió Ribas—. Era un artista.

20

EL AMBIENTE en el café de la Ópera era cada vez más animado y el humo emborronaba los espejos, los veladores de mármol y el mar de cabezas. Norma estiró el cuello mirando en torno como si buscara a alguien, los codos echados hacia atrás en el mostrador, en la misma actitud desafiante y provocativa que había prodigado diez o quince años atrás en la legendaria barra de Bocaccio. Las gafas de cegata le daban un aire de puta desvalida, sin recursos, pero esa apariencia era desmentida por la tensión del cuerpo, el poder mayestático de los huesos.

—¡Eh, usted! ¡Limpia! —llamó haciendo chasquear los dedos—. ¡Limpia!

Acudió manso y cabizbajo el limpiabotas fulero y el corro se abrió para hacerle sitio. Norma levantó el pie derecho y añadió:

—Veamos qué puede hacer con mis zapatos verdes de fulana... ¿Le gustan? Lústrelos con cuidado, no se vayan a caer a pedazos, son más viejos que la tana.

—Uzté déjeme a mí, zeñora, que zoy un artista —mascculló el charnego echándose de rodillas a los pies de Norma. Trémulo, abrió la caja de betún, sacó la crema y el cepillo y lo dejó a un lado en el suelo. Nadie se fijó en lo que hacía. Con ambas manos, delicadamente, se apoderó del pie de Norma y lo encajó en el soporte de la caja, delante de su bragueta. Sujetando el pie por detrás con una mano, agarró el cepillo con la otra y empezó a frotar. Sentía en la mano la suave trama negra de la media, la delicada tensión del tobillo y el calor de la piel de Norma, y en ningún momento se le ocurrió pensar que su torpeza y lentitud en el manejo del cepillo podían revelar su impostura.

—¿Cuántos años hace que no le has visto, Norma? —decía Mireia.

—Ocho o diez, no sé...

—¿Es verdad que actuaba en uno de esos teatros de aficionados de Gràcia? —dijo Tassis.

—Era rapsoda —se anticipó Georgina—. Y, a propósito, ¿cómo era aquello tan divertido que contabas, Norma? —Se echó a reír—. Sí, mujer, de la primera vez que te besó en un teatro...

—En ningún teatro —dijo Norma—. Fue en el parque Güell. Ya éramos novios. Estábamos hablando del patriotismo de mis padres, de cómo me habían educado en el amor a Cataluña y a la *senyera,* y de repente me besó en la boca. Fue un beso larguísimo, y mientras duró, sin despegar en ningún momento su boca de la mía, me recitó el *Cant espiritual* de Maragall. Era capaz de recitar las obras completas de mossèn Cinto mientras besaba.

—¡Hija, qué asco! —dijo Mireia.

—Babas y poesía patriótica —dijo Ribas—. A Norma siempre le gustó ese cóctel.

La cabeza rizada del limpiabotas oscilaba delante de las rodillas de Norma con una cadencia dulce y furtiva. Norma observó las manos de seda amarilla afanándose con sus zapatos. Viendo a este murciano tuerto y renegrido echado a sus pies, agobiado por una vida oscura y un trabajo oscuro, sintió de pronto un fuerte impulso de acariciar sus cabellos. La voz de Mireia, a su lado, la volvió en sí.

—Cuando Norma le conoció, tocaba el violín en una orquesta, ¿verdad, Norma?

—Ninguna orquesta —intervino Georgina—. Había trabajado desde muy jovencito en las varietés, recitaba poesías de Rafael de León con acompañamiento musical... Figúrate.

—Era un mangante —dijo Totón.

Arrodillado, la nuca sobre los hombros como si no tuviera cuello, Marés consideró desdeñosamente el hecho de que hablaran de él como si ya estuviera muerto.

Norma notaba los embates del cepillo en la puntera del zapato, golpeando sin ritmo. Volvió a mirar la cabeza de ensortijados cabellos que rozaba sus rodillas, y se oyó decir:

—¿Por qué no hablamos de otra cosa?

Cuando se abría la puerta de la calle entraba la algarabía de las Ramblas con su incesante desfile de antifaces y máscaras. Delante del Liceo, una muchacha con trenzas y falda agitanada tocaba el violín con una *senyera* sobre los hombros, y un borracho con una botella en la mano daba vueltas en torno a ella.

Desde hacía un rato, Ribas observaba el quehacer torpe y soterrado del limpiabotas. Le dio a Totón con el codo.

—¿Tú crees que ésa es manera de darle al cepillo? —dijo en voz baja.

—Qué más quieres, con un solo ojo...

—El otro pie, zeñora, tenga la bondad —ronroneó el limpiabotas sin alzar la vista.

Norma quitó el pie del soporte y puso el otro, sin apartar los ojos de la soberbia cabeza rendida ante su rodilla de puta parisina. Notó las manos apresuradas del limpiabotas sobando los tobillos y el empeine del pie, y notó un repentino calor en la pierna y acto seguido en la cara interna del muslo, subiendo, y después un escalofrío en las corvas. Se miró el zapato verde recién lustrado pero lo vio igual de deslucido que antes. En este momento Georgina, a su lado, la cogía suavemente del codo:

—Me han dicho que si le vieras por la calle, no le reconocerías.

—Ni ganas.

—Todos hemos cambiado —dijo Mireia.

—Será que no representa la edad que tiene. —Norma se quedó pensativa y añadió—: Nunca ha representado lo que realmente es, ese hombre.

—Le han visto por ahí hecho un paria, un vagabundo, tirado en las escaleras del metro con un cartel que dice tengo hambre y estoy solo en el mundo, o algo así.

—Han pasado muchos años de lo nuestro, y no tengo el menor interés en volver a verle —dijo Norma—. Aunque, si supiera en qué esquina para, me gustaría echarle una ojeada desde lejos...

—A mí también me han llegado noticias —dijo Ribas—. Parece que toca la flauta con los pies y rasca una botella de anís del Mono con una cuchara...

El detalle estremeció a Norma.

—No dices más que burradas, Eudald.

Ribas hizo un gesto de impotencia y comentó dirigiéndose a Tassis y a Totón:

—Norma nunca se enteró de nada respecto a ese pobre huerfanito. Jamás supo quién era, de dónde provenía ni qué intenciones llevaba. El amor es ciego, realmente. —Se encaró con Norma sonriendo y pellizcó amistosamente su barbilla, y ella hizo un gesto esquivo—. ¿Sabías que era hijo de una artista de varietés medio chalada?

—¿Y qué?

—Te estás pasando, Eudald —dijo Mireia.

—Cuando nos conocimos, su madre ya había muerto —dijo Norma, evitando todo el tiempo que sus ojos se encontraran con los de Ribas—. Y en todo caso, él no me lo contó así...

—Bueno, tampoco es para avergonzarse —dijo Mireia, y rodeó los hombros de Norma con su brazo como si quisiera protegerla de los sarcasmos de Ribas—. Yo lo único que sé es que cuando le dejaste estaba loco por ti.

—Di que sí, chica —entonó Georgina con su fonética nasal—. Nunca vi a nadie tan enamorado.

—Conste que me caía bien —afirmó Ribas—. Aunque siempre estaba representando alguna farsa... Ahora resulta que ese amor contrariado le ha llevado a la mendicidad. ¡Vaya por Dios! ¡Pobre infeliz!

Al limpiabotas fulero se le cayó el cepillo al suelo y pareció aturullarse. Norma notó que le manoseaba el pie. El hombre cogió la gamuza con ambas manos y empezó a frotar la puntera del zapato con gestos inseguros y desmañados. La gamuza se deslizaba hacia el empeine del pie, y los vigorosos frotamientos en la piel, apenas atenuados por la media, acaloraban a Norma.

—Tenga cuidado, le está sacando brillo a mi pie.

Ribas, que ya había constatado la impericia del limpia, dijo:

—¿Es usted nuevo en el oficio, camarada?

Marés carraspeó, la cabeza siempre gacha, y habló con la voz ronca, infectada de parásitos y de flemas:

—No me regañe uzté, no m'atosigue, zeñó, que hago lo que puedo. Y uzté perdone, zeñora. —Lanzó a Norma una rápida mirada con el ojo destapado y volvió a inclinar la cabeza—. Pero es que me s'han torcío las cosas y estoy mu malamente de dinero y m'he tenío qu'espabilar con el betún y el cepillo... Yo no había cepillao un zapato en mi vida. No lo tengo entoavía mu por la mano, pero le juro a uzté que estos zapatitos se los voy a dejar como los chorros del oro. Digo, unos zapatos verdes tan requetebonitos. Y si no le gusta cómo quedan, pues me da uzté la voluntá y aquí no ha pasao na...

Norma le escuchaba con la boca ligeramente entreabierta y el labio superior perlado de sudor. No podía apartar los ojos de la nuca del limpiabotas, allí donde el pelo ensortijado era ceñido por la cinta negra de goma elástica que sujetaba el parche sobre el ojo. Volvió a sentir la araña del escalofrío subiendo por la tibia hendidura de sus muslos apretados.

—No se apure usted —dijo—. Lo está haciendo muy bien, y además no tenemos prisa.

Pidió a Ribas que le llenara otra vez la copa, mientras Mireia volvía al tema de Joan Marés y su triste caída en el arroyo y la mendicidad. Teniendo en cuenta lo enamorado que estuvo, costaba entender que se hubiera esfumado tan radicalmente y que nunca más se pusiera en contacto con Norma.

—Lo intentó hace tiempo, pero yo nunca quise volver a verle —dijo Norma—. Y hablando de otra cosa. ¿Cuándo vendrás a recogerme a la oficina para comer juntas?

—Pero ¿dónde está esa oficina?

—Con su permizo —dijo el limpiabotas—. E zólo un momento...

Impunemente, porque nadie estaba pendiente de él, había descalzado a Norma de un pie, y, para no ensuciarle más la media, frotaba el zapato sujetándolo en el aire con la mano. Tampoco mediante ese sistema mostraba más oficio. Norma apoyó el pie liberado del zapato en el soporte de la caja de betún y desperezó los dedos. A través de la trama negra de la media, él pudo observar la laca roja de las uñas de los dedos. La visión de la diminuta uña del sonrosado dedo meñique, pueril y dormido bajo la gasa negra, le enterneció súbitamente de tal modo, haciéndole evocar delicias domésticas que en su momento no supo valorar, que sintió ganas de reclinar la cabeza en las rodillas de Norma y echarse a llorar. Abrumado ahora bajo el peso de la impostura, oía hablar a Norma de su trabajo para el Departamento de Cultura de la Generalitat, un estudio sobre lengua e inmigración en Cataluña que realizaba la Dirección General de Política Lingüística, y su voz era dulce y nasal y le hizo pensar en el sol sobre las flores, en el zumbido del verano sobre el vasto jardín descuidado de Villa Valentí... Por las mañanas, según ahora le explicaba a Mireia, Norma solía acudir a las oficinas del Palau Marc de la calle Mallorca, donde a veces le divertía atender por teléfono las consultas de los charnegos sobre la actual Campaña de Normalización Lingüística. Volvió a calzar el pie, sobándolo cuanto pudo, y lo acomodó nuevamente en el soporte. En este momento, viéndole quieto, Ribas se inclinó sobre el oído de Norma y le dijo:

—Tu Quasimodo se está durmiendo sobre tu lindo pie.

El limpiabotas tenía la cabeza colgada sobre el pecho y las manos embadurnadas de betún inmovilizadas junto a los tobillos de Norma, como si no supiera qué hacer. Permaneció completamente paralizado unos segundos. Luego prosiguió su trabajo con toda la calma y convocó la voz que no era suya para decir:

—Termino en un zantiamén, zeñora.

Norma no lo apremió ni le dijo nada. Detrás de las gafas, sus ojos parecían otra vez remotos y ensimismados. Tassis le estaba aclarando a Mireia, irónicamente, algunos pormenores acerca del trabajo de Norma con el equipo de sociolingüistas:

—Es bastante complicado, ¿sabes? Norma se ocupa de las encuestas públicas y experimenta con... la lengua. Estudia los contactos conflictivos de las dos lenguas, el catalán y el castellano, tanto en lo individual como en lo social. Ese punto en que las dos lenguas se friccionan.

—O sea —intervino Ribas—, las dos lenguas en contacto vivo y caliente con el individuo.

—Idiota eres —dijo riendo Norma.

—Puedes reírte lo que quieras —dijo Totón Fontán—. Pero yo empiezo a estar hasta el gorro del normativismo badulaque en el que ha caído el idioma catalán.

—Pues ya puedes ir preparándote, pobre castellanufo —dijo Ribas—. Verás auténticos prodigios.

Totón pidió la cuenta al mozo de la barra y Georgina estaba comentando que ya iba siendo hora de irse, puesto que ni los Bagués ni Valls Verdú aparecían, cuando Norma notó un peso cálido sobre la rodilla alzada y vio que el limpiabotas tuerto apoyaba en ella la frente y lloraba en silencio. Su mal disimulada agitación nerviosa, con los sollozos, repercutía desde su frente a la rodilla amada y emputecida, conectando con las fibras nerviosas de la propia Norma, cuyo primer impulso fue retirar la rodilla. Pero se contuvo. Los demás no habían notado nada, seguían charlando. El limpiabotas parecía que se iba a desmoronar de un momento a otro. Su espalda doblada se agitaba con los sollozos, había rendido los brazos y soltado el cepillo y la gamuza, y sus manos se movían extraviadas y yertas en torno a los tobillos de Norma sucios de betún. Durante un buen rato, y sin acabar de comprender el porqué, Norma no reaccionó y cerró los ojos reteniendo entre los párpados la imagen de aquella cabeza ensortijada y compungida porfiando sobre su rodilla encendida. Por fin abrió los ojos y rozó con las yemas de los dedos los ásperos rizos.

—Oiga, ¿qué le pasa? —Y entonces miró a los demás sin saber qué hacer. Pero no retiró el pie del estribo ni apartó la rodilla de la frente abatida de aquel hombre cuya pena, seguramente, era la de no poder ofrecerle un buen servicio—. No se lo tome así, lo hace usted muy bien... ¡Ay, tú, Eudald! —suplicó a Ribas—. Dile algo, por favor...

—Cálmese, hombre, no hay para tanto —dijo Ribas, y le empujó suavemente en el hombro para que despegara la frente de la rodilla, pero no hubo manera.

—Que sí, que es usted un limpia fenomenal —dijo Mireia Fontán conteniendo las ganas de reír.

—Y tanto —corroboró Tassis—. Esos zapatos verdes de furcia nunca habían brillado así.

Pero el limpiabotas seguía sin reaccionar. Restregaba la frente y el parche negro en la hermosa rodilla y sollozaba desconsoladamente, el gesto suspendido en torno al pie de Norma, como si temiera tocarlo. Ribas le dio otro empujón, pero ni por ésas. Parecía que la frente estuviera soldada a la rodilla.

—Esto le pasa a usted por testarudo —dijo Ribas—. ¿Por qué se mete a limpiar zapatos si no es lo suyo?

—Ya nos ha dicho por qué, Eudald —le reprochó Norma—, ahora no te pases.

—Está pirado.

—Déjale en paz. Págale, ¿quieres?

Ella ofreció un rato más su rodilla a la conturbada frente y movió las manos abiertas en torno a la cabeza sin atreverse a tocarla. Entonces Ribas estuvo tentado de atizarle al limpia neurasténico un tercer manotazo, pero optó por ofrecerle una moneda de quinientas pesetas.

—Tenga. Y cómprese Kamfort, amigo; se evitará problemas.

La mano tiñosa de betún se alzó temblorosa junto a la cabeza aún abatida, pero no cogió el dinero. Ajustó a la nuca la cinta del parche y luego, juntamente con la otra mano, no menos sucia de betún, retiró delicadamente del estribo el pie de Norma, recogió el bote de crema, el cepillo y la gamuza, lo metió todo en la caja y se incorporó cabizbajo, sin mirar a nadie, escabulléndose entre la gente hacia la calle.

Segunda parte

Hay épocas en que uno siente que se ha caído a pedazos y a la vez se ve a sí mismo en mitad de la carretera estudiando las piezas sueltas, preguntándose si será capaz de montarlas otra vez y qué especie de artefacto saldrá.

T. S. ELIOT

1

En los días desesperados que siguieron a la parodia del Café de la Ópera aumentaron la excitación y el desasosiego de Marés, y se maldijo mil veces por su debilidad, por tener tan flojo el lagrimal delante de Norma y sus amigos. Le devolvió a Serafín la caja de betún, la peluca y las patillas, y durante una semana gris y ventosa trabajó mucho en la plaza Real y en el Portal de l'Àngel, a ratos en compañía de Cuxot, cobijándose los días de lluvia en los pasos subterráneos del metro de la estación Catalunya. Recaudaba un promedio de dos mil quinientas a tres mil pesetas diarias, muy por debajo de lo habitual, pero eso iba a cambiar con la llegada del buen tiempo.

Por la noche, en casa, se acostaba temprano, pero no podía dormir. Se levantaba, se servía una copa y conectaba la radio para oír música. De pie ante la ventana, contemplaba en medio de la noche la doble serpiente de luces en la autopista A-2 y el rótulo de neón de los estudios de TV-3 lanzando a las estrellas un polvillo luminoso y falaz, una querencia artificiosa. El mundo le parecía una trampa y también su habitáculo en

Walden 7: esas losetas del revestimiento que caen en la noche se desprenden de mi cerebro, se dijo, esas redes de ahí abajo me esperan a mí... Pensaba en Norma y en la forma de llegar hasta ella con una desesperada y furiosa determinación. Debido seguramente a un trasvase inconsciente del deseo, o tal vez simplemente porque se aburría, un sábado por la noche se enfundó el traje marrón a rayas y la camisa rosa, dispuso la jeta de Juan Faneca frente al espejo, el parche negro en el ojo y las patillas en su sitio, la risueña pupila verde y la peluca rizada, salió a la Galería del Éxtasis y llamó a la puerta de la viuda Griselda con una sonrisa ladeada y socarrona.

—Hola, Grise —la pellizcó en la barbilla.

Ella acababa de llegar del cine donde trabajaba y calentaba agua para hacerse un té con limón, tenía un fuerte resfriado y algo de fiebre. «No me beses, rey, se apresuró a decir sin que él hubiese hecho el menor intento, podría contagiarte.» Seguía con su régimen severo y le dijo que había adelgazado más de tres kilos. Le ofreció té y estuvieron hablando melancólicamente del extraño destino de algunas personas solitarias y del lento, misterioso e imparable deterioro del edificio Walden 7, un sueño que se desmorona. Él sintó repentinamente la necesidad de hablar de Joan Marés, el vecino de la puerta B, en esta misma Galería, dijo que eran amigos desde niños y que le daba mucha pena la vida que llevaba, que era un hombre sensible y culto que se sentía desarraigado y que había tenido mala suerte en la vida... Descubrió de pronto que distanciar verbalmente al músico callejero junto con sus desdichas le levantaba el ánimo. Preguntó a la señora Griselda si le conocía, y ella arrugó la nariz:

—No le aprecio mucho, la verdad. Me cae fatal —admitió a desgana—. Y no porque sea un músico ambulante y vaya siempre tan zarrapastroso... Es que es un borrachín y un marrano, un hombre sin dignidad. No me gusta cómo me mira.

—Tienes razón, Grise. El pobre tipo está cayendo cada vez más bajo, se está revolcando en el fango de la vida, y todo porque su mujer le abandonó. Será pelma.

—¡Ah, eso no lo sabía! ¡Pobre! —suspiró la viuda—. De todos modos, es un poco cínico. Ya ves cómo va vestido, que parece que no tenga dónde caerse. ¿Y sabes cuánto debe ganar diariamente con su acordeón? Pues mucho dinero, lo sé porque un amigo de mi marido que también tocaba por las calles, el saxofón, con lo que le tiraban acabó poniendo una bodega en Sants...

—Trabaja muchas horas, el pobre tonto —dijo él, pensativo—. No sabe qué hacer con su vida.

—Pues si él no lo sabe... Pero, bueno, ya que es amigo tuyo, desde hoy me lo miraré de otra manera. —Sonrió la señora Griselda bondadosamente, y su presta mano gordezuela y sonrosada agarró el asa de la tetera—. ¿Un poco más de té, rey mío? ¿Qué tal van las encuestas?

—Ya no trabajo para la Xeneralitá —dijo él animándose, recuperando el acento del sur y la flema del charnego—. Ahora vendo persianas venecianas. Un chollo, Grise.

Poco después, agobiado por la máscara, sintiéndose tironeado cada vez más por los hilos invisibles de una marioneta que empezaba a no controlar, estuvo tentado de descubrir su juego. Pero el trato que la viuda le dispensaba era tan dulce y cariñoso que de pronto sintió pena de los tres, de ella y de Faneca y de sí mismo, y se levantó y se despidió.

Pero en vez de meterse en casa tomó el ascensor y bajó hasta la planta baja, dirigiéndose a la cafetería del edificio. Se instaló en la barra y pidió un vino, y luego otro y luego dos más. Estuvo allí hasta que cerraron el bar, solo, probando suerte en una máquina tragaperras que emitía una música fantasmagórica, una tonadilla artificiosa y sideral. Se sintió inesperadamente reconfortado, conformado a la propia falacia y al artificio electrónico y musical que manejaba, mientras una mano invisible palmeaba amistosamente su espalda, animándole: Si te conviertes en otro sin dejar de ser tú, ya nunca te sentirás solo.

2

EXPERIMENTABA la creciente sensación de que alguien que no era él le suplantaba y decidía sus actos. Sentía a veces un descontrol físico, una tendencia muscular al envaramiento y a la chulería, una conformidad nerviosa con otro ritmo mental y con ciertos tics que nunca habían sido suyos. Una tarde de finales de marzo, en la calle Portaferrisa esquina a la del Pi, dejó de tocar el acordeón y entró en una tienda de comestibles y pidió una botella de vino blanco del Penedès. Pagó y salió, pero no había andado diez metros cuando se paró y regresó a la tienda.

—Oiga —dijo con la otra voz salerosa dirigiéndose al dueño que le había despachado—. ¿Uzté no acaba de venderle esta botella de vino a un pobre tipo con un acordeón?

El hombre le miró de arriba abajo, receloso.

—Coño. A usted.

—¿Es ésta la botella? —insistió Marés.

—¿A qué estamos jugando, oiga?

—Miruzté, es que el hombre del acordeón está en un apuro. Acabo de tropezarme con él en la calle y el caso es...

—A mí déjeme de historias. ¡Fuera!

—El caso es —prosiguió Marés— que no tiene na pa descorchá la botella y yo tampoco. Présteno uzté un zacacorcho, por favó.

—¡Lárguese!

—¡Vaya, no e uzté mu amable!

Fue en busca de Cuxot para compartir la botella, pero no le encontró. En la calle Ferran se detuvo ante el escaparate de la librería Arrels atraído por el título de una voluminosa novela en catalán: *Sentiments i centimets*. Entró y compró el libro juntamente con un diccionario catalán-castellano.

—A ver zi azin aprendo a leé catalán d'una puñetera vez —explicó a la dueña de la librería—. Aquí onde me ve, zoi un anarfabeto perdío, zeñora.

En las Ramblas se anunciaba ya la primavera y el aroma de las flores tronchadas y del agua suavemente pútrida le excitaba. Compró un ramo de claveles rojos y por la noche lo depositó en la puerta de la señora Griselda con un papel en el que escribió: «Para Grise de su Faneca respetuosamente.»

A mediados de abril, un sábado por la tarde que estaba tocando frente al Liceo, hizo otra pausa y entró en una zapatería. Se compró unos zapatos marrones y blancos, puntiagudos y de tacón alto. Después acudió a una posticería de la calle Hospital que vendía añadidos y pelucas para señora y caballero. Se hizo mostrar diversos postizos, pero ninguno le pareció mejor que el que ya tenía en casa. Escogió dos patillas negras y rizadas y un bigote fino, y se probó unos cartílagos de goma en las fosas nasales para alterar la forma de la nariz. También adquirió pegamentos, lápices y pinzas, y un maquillaje de fondo. La factura subió a nueve mil pesetas, cantidad que le pareció excesiva. Se hizo apartar el género y fue a la Caixa por dinero.

La mañana del día siguiente, domingo, estaba tocando en la plaza Real. Esperaba la llegada de Cuxot y Serafín, pero no vinieron. Era un día gris y a ratos chispeaba. No había mucha animación en la plaza, salvo los vagabundos y los *camellos* marroquíes y negros merodeando como de costumbre bajo los soportales. Marés estaba pensando en volver a casa cuando le invadió una repentina tristeza y en seguida se vio atenazado por una crisis de angustia, una sensación de desamparo, y entonces se decidió. Se embolsó la recaudación, se echó el acordeón a la espalda y buscó una cabina telefónica. Cuando descolgaba el teléfono empezó a sentirse mejor. Marcó y esperó, mientras allá, en Villa Valentí, en alguna sobria estancia con ventanas al parque, tal vez en el amplio dormitorio de Norma, donde ella desayunaba y leía el periódico en la cama, sonaba el timbre del teléfono.

—¿Diga?

Enmascaró la voz y preguntó:

—¿Zeñora de Marés, por favó?...

—¿Por quién pregunta el señor? —dijo la voz femenina con acento exótico, seguramente la doncella.

—Quiero hablar con la zeñora Norma Valentí.

—¿De parte de quién, señor?

—No me conoce. Dígale que tengo un recado de su marío.

—Espere un momento, por favor.

Pasaron casi dos minutos. Marés carraspeó, modulando mentalmente la voz impostada del charnego.

—Digui!...

—¿Zeñora Norma Valentí? Me llamó Juan Faneca y soy amigo de su marío... Perdone la molestia, zeñora. El motivo de mi llamada es para pedirle una entrevista.

—¿Conmigo? ¿De qué se trata?

—E una cuestión algo delicá. Quisiera un zervió no comunicarlo por teléfono. Verá uzté. Tengo que hablarle de Joan Marés...

—¿Le ocurre algo?

—Temo que se esté volviendo loco, zeñora.

—¿Y eso?

—Le supongo enterada de la vida que lleva.

—Más o menos.

Norma guardó silencio, aunque le picaba la curiosidad. Marés esperó un rato y luego dijo:

—Mujé, parece mentira, ¿no desea uzté saber cómo está? —Y con la voz aviesamente quebrada añadió—: ¿No le importa lo que pueda pasarle a ese infeliz? ¿No siente uzté ni siquiera una miaja de curiosidad por la vida de ese hombre, al que un amor desdichado le apartó de una familia honorable y de su sano juicio, y que ahora malvive tocando el acordeón por las calles de Barcelona?...

—Bueno, sí, pero no veo qué podría yo hacer...

—¡Ay, qué ingratas son las mujeres! ¡Ozú!

—Joan sigue viviendo en Walden 7, supongo.

—Sí, pero el apartamento es de uzté.

—Ah, se trata de eso. Pues dígale que no tema, no pienso echarle. Prometí dejarle el piso mientras no tuviera dónde ir. No sé qué más podría hacer...

—Por lo menos, escuchar a un amigo.

—No tengo inconveniente. En todo caso, a Joan preferiría no verle...

—Él sabe muy bien que uzté no quiere verle. Vendré yo solo.

—Pero ¿qué es lo que quiere exactamente?

—Le gustaría mucho recuperar algo que se olvidó en Villa Valentí hace años... Se trata de un álbum de cromos de *Los tambores de Fu-Manchú* que guardaba desde niño, y que para él tiene mucho valor sentimental. ¿S'acuerda uzté de ese álbum?

—Creo recordar que se lo llevó de aquí junto con un montón de libros cuando nos trasladamos a Walden 7...

—Joan dice que no, que se quedó en casa de uzté.

—En tal caso se lo habrán comido las polillas. No tengo la menor idea de dónde puede estar.

—Dice que lo busque en los estantes bajos de la biblioteca, donde su tío guardaba los mapas.

Norma suspiró.

—Bueno, lo miraré.

—A cambio él le ofrece algo que le va a interesá.

—¿A mí?

—Una zorpreza, mujé. Puede considerarlo como un regalo muy especial de Joan. Verá cómo le gusta. ¿Cuándo me va uzté a recibir?

Oyó el suspiro de Norma y se le paró el corazón. Ella tardó unos segundos en contestar:

—¿Tan importante es?

—Cuestión de vida o muerte, zeñora.

—Bueno, ya será menos... El caso es que salgo de viaje y no regreso hasta el mes que viene. Espere, déjeme ver la agenda... —Calló unos segundos y él bebía su respiración sosegada, el pálpito de su hermosa boca pegada al aparato—. Sí, eso es. Venga usted el trece de mayo, viernes, a partir de las ocho de la tarde. ¿Conforme?

—¿En su casa, en la Villa...?

—Sí. Joan le dirá dónde es. Adiós.

—Conozco la torre, zeñora, aunque hace una pila de años que no voy por allí. Bueno, que uzté lo pase bien. Que tenga un feliz viaje...

Pero Norma ya había colgado.

3

Cuaderno 3

EL PEZ DE ORO

En la avinguda Mare de Déu de Montserrat hay una torre modernista de cúpulas doradas, agazapada tras una fronda de abetos y pinos y separada de la calle por una verja interminable. Estamos en 1943, tú aún no has nacido, amor mío, en los lentos atardeceres de ese verano remoto las cúpulas relucen como el oro y la desastrada pandilla del barrio, Faneca y yo a la cabeza, merodeamos alrededor de la fantástica torre soñando aventuras.

Estoy hablando de Villa Valentí, el paraíso que me estaba destinado, perdona la pretensión, y en el que tú nacerías cuatro años después. Hoy sigue la Villa espejeando igual que ayer, en mi memoria y en el barrio. En la imponente puerta de hierro forjado campea un dragón alado hollando lirios negros. En la boca del dragón hay una mandarina podrida, ensartada en la lengua afilada como un estilete, una mandarina de verdad. ¿Quién la clavaría allí? Tengo hambre y me la voy a comer, le dije a Faneca. La mitad de la mandarina parecía buena y jugosa, y Faneca también la quería. Nos la jugamos a los chinos y ganó Faneca. Recuerdo como si fuera hoy el luminoso domingo que entré por vez primera en el jardín de la torre. No como un intruso, sino como un invitado. Pero todo empezó el día anterior, sábado. Vuelvo a ver a los furiosos muchachos del barrio encaramados a la verja, robando eucaliptos de las ramas bajas agobiadas de hojas otoñales como dagas de cobre. David, Jaime, Roca, Faneca. No hay acuerdo sobre cómo pasar la tarde, si explorando el parque Güell y la montaña Pelada o patinando por las calles. David es partidario de dejarnos caer por la cocina de la pensión Ynes y ver si la señora Lola nos da merienda, y de pronto todos se van, y Faneca y yo nos encontramos solos con el patín de cojinetes a bolas, un auténtico bólido, una tabla con cuatro ruedas que se maneja con una cuerda y con suelas de alpargatas viejas para frenar.

Conduzco el bólido temerariamente, no sentado, sino trabado conmigo mismo, contorsionado, hecho un lío de brazos y piernas y convertido en la Araña-Que-Fuma para asombro de viandantes. Faneca viaja de pie a mi espalda, agarrándose donde puede, los ojos cerrados al viento, y lanza nuestro grito de guerra: «Hi ha cap peeeeeeell de coniiiiiiill...!», el grito-reclamo de los traperos que recorrían el barrio comprando papeles, trapos, botellas y pieles de conejo. Durante mucho tiempo, el trayecto habitual de la pandilla deslizándose con el patín había sido monte Carmelo-Sagrada Familia, bajando a tumba abierta por Sardenya; pero este verano descubrimos la avinguda Mare de Déu de Montserrat dirección Horta. Tiene más curvas y es más emocionante. Poco antes de la calle Cartagena hay una doble curva, y en seguida, a la derecha, arranca la interminable verja de Villa Valentí y corre a lo largo de la acera custodiando el frondoso parque. Las cúpulas doradas emergen por encima de los árboles, y a un lado, en una depresión del terreno seco y expoliado, sobrevive un viejo templete guadiniano con máscaras de metal. Fueron muchas las veces que, remontando la calle con el patín a hombros, Faneca y yo nos encaramos a la verja para atisbar, por entre las frondas verdes, la fachada pizarrosa de la torre y los enormes tiestos de cerámica alrededor del estanque de aguas muertas.

—Algún día —dijo Faneca en cierta ocasión— entraré en ese parque y me bañaré en el estanque.

—Tú sueñas, chaval —le dije.

—Se diría que no vive nadie en la torre. Nunca se ve a nadie.

—No hay que fiarse. Los ricos de verdad viven muy escondidos.

Pero este sábado por la tarde, la puerta del jardín está abierta y un hombre delgado con traje y zapatos blancos observa desde la entrada el vertiginoso descenso del patín calle abajo montado por los dos niños. Observa, sobre todo, al chaval contorsionista que guía el artefacto de culo, al niño-tarántula doblado sobre sí mismo con un pitillo en la boca y los pies descalzos cruzados en el cogote.

—¡Apártenseeeeee! ¡Allá vamoooooos!

Algunos viandantes parados en la acera y boquiabiertos también contemplan nuestra loca carrera. El patín coge la segunda curva de la calle Cartagena abriéndose demasiado, sus ruedas laterales rozan el bordillo de la acera, pierdo el control y volcamos frente a la verja de Villa Valentí, a los pies del hombre del traje blanco. Al caer se me desbarata mi famosa Araña-Que-Fuma, pero, al ver que no me he hecho daño, la recompongo al instante recogiendo la colilla del suelo. Así, contorsionado y fumando, suelto un par de maldiciones y espero tranquilamente a Faneca, que ha caído unos metros más atrás y se duele de la rodilla. Entonces suenan pasos sobre la acera, aparecen a mi lado los flamantes zapatos blancos y oigo la voz solícita del hombre:

—¿Te has hecho daño, muchacho?

—No, señor —moviéndome de lado como los cangrejos.

—¿Dónde has aprendido a retorcerte así? ¿Trabajas en algún circo?

—Me enseñó un amigo de mi madre.

Antes de seguir debo aclarar un par de cosas. El hombre del traje blanco se dirigió a mí en castellano porque me oyó maldecir en castellano. Él era catalán. Yo también, pero todos mis amigos de la calle, los chavales de la pandilla, eran charnegos —sobre todo Faneca, que era de un pueblo de Granada y hablaba con un acento andaluz tan cerrado que no se le entendía—, y con ellos yo siempre me entendía en su lengua. Mi cabeza rapada y mi aspecto desastrado, por otra parte, hicieron el resto: el señor elegante me tomó por un charneguillo de los muchos que entonces infectaban el barrio. Y además le interesaba que así fuera, como no tardé en saber:

—Precisamente necesito alguien como tú... Y fumas con los pies. Asombroso.

—Sí, señor. También sé tocar la armónica con los pies.

—Vaya, vaya. ¿Cuántos años tienes?

—Diez.

Poco a poco me voy desenroscando y quedo en posición normal. Faneca llega y se sienta a mi lado, frotándose una rodilla dolorida. El hombre del traje blanco me observa fascinado. Es muy alto y luce un abundante pelo canoso y la expresión amable. Después de reflexionar un rato, dice:

—¿De dónde eres, muchacho?

—Vivo en lo alto de la calle Verdi.

—¿Cómo te llamas?

—Juan.

—¿Quieres ganarte un duro?

—¿Qué tengo que hacer?

—Exactamente lo que acabas de hacer. Pero sin fumar. Ven mañana a las cinco de la tarde y te lo explico.

—¿Vengo aquí?

—Entra directamente y pregunta por el señor Víctor Valentí. Soy yo. Y otra cosa. —Saca del bolsillo una hoja de papel doblada y escrita a máquina—. Esto es una poesía en catalán, quiero que para mañana te la tengas aprendida de memoria. Parles una mica de català, supongo...

—Una mica pero malamente —simulo aviesamente mi torpeza.

—No importa. Toma. —Me da el papel—. Seguro que te lo aprendes de memoria, es cortito.

—Sí, señor.

Y más que eso, por un duro, pensé.

Al día siguiente, domingo, mucho antes de la hora convenida, ya estoy listo. Faneca me quiere acompañar, pero por vez primera en la vida le digo que no. No vayas zolo, ¡mardita zea!, puedes correr un gran peligro, me dice. Ningún peligro, tonto, le digo yo, voy a ganarme un duro.

Bien lavado y peinado, vestido con mi mejor pantalón y una camisa limpia, a las cinco de la tarde cruzo la verja del jardín y entro en Villa Valentí como quien entra en un sueño. Un sendero de grava me conduce hasta el corazón rumoroso del parque, donde se abre un gran espacio ajardinado con el estanque de aguas verdosas y la torre con el esbelto porche. Flota en el aire el olor dulzón de la hojarasca putrefacta que no ha sido retirada de los parterres. Hay algunos automóviles y varios invitados en mangas de camisa, rodeados de niños y perros, comportándose todos como en familia y hablando en catalán. Trasladan sillas y banquetas desde un pabellón del jardín hasta la gran galería semicircular de la parte trasera de la villa, donde señoras muy atareadas y diligentes preparan una especie de escenario improvisado con cortinas y algunos muebles. En total habrá allí unas veinte personas, sin contar a los niños. A través de altavoces se oyen canciones populares catalanas interpretadas por el tenor Emili Vendrell. «Rosó, Rosó, llum de la meva vida...»

Me acerco a un señor que maneja unos cables eléctricos subido a una silla y le pregunto dónde está don Víctor Valentí, y me dice que está ensayando en la biblioteca. Yo llevo en la mano el papel con los versos que me he aprendido de memoria. Hasta dar con la biblioteca, que está en el primer piso, me pateo casi toda la torre y puedo contemplar los arcos altísimos, las maderas pulidas, los vitrales, los artesonados de minuciosa policromía, la reja de malla articulada y corredera, los azulejos componiendo en el amplio vestíbulo la imagen de sant Jordi y, sobre todo, el techo de un salón cubierto mediante un fantástico *trencadís* de cerámica blanca.

—¡Ah, por fin llegó mi tarántula murciana! —dice el señor Valentí al verme entrar en la biblioteca—. No te enfades, es broma. Ven, siéntate aquí y espera un momento.

No lleva el traje blanco, sino que va vestido como un personaje noble del medievo, sostiene en la mano un cuaderno escolar abierto y da instrucciones a cuatro muchachas que lucen largos cabellos y largas túnicas. Tres hombres vestidos como él recitan versos en voz alta, cada uno por su lado, paseando de un lado para otro. Hay mucho trajín en la estancia, media docena de señores están poniéndose pelucas y barbas y un coro de muchachas probándose diademas y collares de flores. Dos biombos sirven de vestuarios y hay una larga mesa llena de prendas de vestir, espadas, postizos y utensilios de maquillaje.

Yo no acabo de entender lo que está sucediendo aquí ni para qué se me requiere, pero no tengo miedo. Sólo años después tendría una idea cabal del asunto. En una época en que la lengua y la cultura de Cataluña están siendo fuertemente represaliadas por el franquismo, y el teatro catalán está prohibido, en Villa Valentí, lo mismo que en algunos pisos del Eixample pertenecientes a la burguesía barcelonesa ilustrada, se dan representaciones clandestinas de aficionados. Son veladas poéticas organizadas por cuatro entusiastas patriotas letraheridos, destacados nacionalistas catalanes que también luchan en el campo de las finanzas, la enseñanza, la industria y el comercio, y en las que colaboran la familia y los amigos. Es gente afable y transmite una extraña beatitud —eso al menos es lo que yo percibo a los diez años—, hay como un ritual de catacumbas elaborado con mucha fe y escasos medios, una forma de mantener el fuego sagrado de la lengua y la identidad nacionales. Tertulias teatrales y poéticas que son en realidad *vetllades patriòtiques* en las que reina un ambiente de fiesta familiar, floral y victimista. Víctor Valentí, el señor de la casa, ejerce de autor y director de escena, reservándose un pequeño papel en la obra. Se trata de una obra histórica cuya acción transcurre en la comarca de Anoia durante el poder sarraceno en el siglo x, en la frontera cristiano-musulmana poblada por gentes valerosas y avezadas en la lucha contra el moro. Una licencia poética del señor Valentí introducía en la ficción histórica a Sant Jordi matando a la Araña, y ahí era donde entraba yo, el niño-cangrejo.

Cuando termina con sus actores, el señor Valentí me entrega unos calzones negros y una camiseta negra de manga larga y me señala un biombo: «Cámbiate ahí detrás.» Las dos prendas son muy ajustadas y elásticas, y cuando salgo vestido con ellas, flaco y desmañado, parezco realmente una araña. El atuendo se completa con un pañuelo negro tapándome la cara y atado a la nuca, con dos agujeros para los ojos, y guantes negros. Me miro en el espejo y casi me doy miedo. El señor Valentí me ordena sentarme en una mullida butaca.

—¿Te has aprendido la poesía?

—Sí, señor.

—A ver, recítala.

La recito de corrido con un leve acento charnego que me sale muy bien. El señor Valentí me hace un par de observaciones acerca de cómo pronunciar algunas palabras y sostener algunas pausas, y luego dice:

—No te preocupes por el acento andaluz, deja que se note; es precisamente lo que yo quería. Bien, ahora no te muevas de aquí hasta que yo venga a buscarte. La función va a empezar. Lo que tienes que hacer es muy sencillo: Guillem de Mediona y Sant Jordi, dos personajes de la obra, éstos —y señala a dos de los actores— te llevarán sobre una gran bandeja de plata, durante un banquete, y tú irás sentado y enroscado en esa bandeja igual que un contorsionista, replegado de piernas y brazos y convertido en una especie de araña. Debes retorcerte cuanto más mejor. Eso que tú sabes hacer con tu cuerpo: lo más parecido a una alimaña que puedas. Porque representa que tú eres la Araña que Sant Jordi ha de matar, ¿comprendes?

—Sí, señor.

—Quiero que hagas lo mismo que hacías ayer tarde en tu carrito de cojinetes.

—Sí, señor.

—Ellos dejarán la bandeja sobre la mesa y entonces quiero que camines de lado igual que un cangrejo, con la cabeza entre las piernas. Y acto seguido, cuando oigas parar la música, te despliegas, te levantas en medio de la mesa y, con los brazos cruzados sobre el pecho y las piernas separadas, desafiante, recitas la pequeña poesía que te sabes de memoria. Yo estaré cerca de ti y te haré una seña. Y eso es todo. ¿Sabrás hacerlo? ¿Te acordarás?

—Sí, señor.

—Si todo sale bien, te haré un buen regalo.

Estoy en la biblioteca, clavado en la butaca de altísimo respaldo, durante casi dos horas. A mi alrededor hay mucho ajetreo. Tengo hambre, mis tripas vuelven a quejarse. En la gran galería ha empezado la función y de vez en cuando entran y salen corriendo los actores y se oyen aplausos y la voz del señor Valentí dando órdenes. Para entretenerme improviso algunas posturas cobijado en la butaca y, en una de ellas, me duermo. Me despierta un suave cachete del señor Valentí y su voz: «Despierta, nano, vas a salir.» A mi lado hay una mesita con libros, tallas policromadas y una pecera pequeña con un pez dorado que da vueltas compulsivamente. En el agua del recipiente centellea un rayo de sol y el pez de oro parece debatirse en un incendio. Con la cara pegada al cristal de la pecera, estoy mirando las evoluciones neuróticas del pez en el agua hasta que viene a buscarme una de las actrices y me lleva al escenario junto al señor Valentí.

—¿Preparado? —dice el director.

—Sí, señor.

—Ten presente esto: no me importa que se te note el acento; al contrario, cuanto más acento charnego, mejor.

—Zí, zeñó.

Parapetado detrás de la cortina-telón, espío al público. Los niños están sentados en el suelo, delante de la primera fila. Hay un silencio reverencial, el sol rojo del atardecer enciende los vitrales de la galería y los diálogos de la obra declamados enfáticamente en catalán suenan como sentencias, parecen provenir de otro tiempo, otros afanes y otro país. El decorado representa una sala austera con una larga mesa en la que celebran un banquete doce caballeros cristianos, y en el techo fulge una gran lámpara de cobre con multitud de bombillas simulando llamas de velas. La función llega a su final, y sobre el jardín, al otro lado de los vitrales, se cierne el anochecer. De pronto, sin darme tiempo a salir a escena, hay un apagón y la función se interrumpe por falta de luz. Traen velas y se recitan poesías catalanas para entretener la espera. Muere el día lentamente y, a la luz fantasmal de las velas, resulta todo muy emocionante; las poesías son hermosas y tristes y hay lágrimas en los ojos de los mayores, y los niños están callados y respetuosos. Después se sirven unas pastas y vino dulce, y refrescos para la chiquillería —a mí me dan una gaseosa—, y cuando vuelve la luz se reanuda la función en medio de grandes aplausos.

Mi actuación como araña maligna y andaluza es muy breve y asombra al público. Transportado en volandas sobre la gran bandeja de plata, imagino mi aspecto: una alimaña negra con el culo sobre la cabeza y moviendo cuatro extremidades como patas de crustáceo. Soy depositado junto con la bandeja en el centro de la mesa y los ilustres comensales, caballeros feudales pertenecientes a los más claros linajes de la nobleza de Cataluña, entre los que se halla el de Valentí, ancestros del anfitrión, se levantan de sus asientos comentando con admiración y recelo la arrogancia de la bestia cautiva, capaz de caminar de lado por entre los platos y los candelabros. Entonces, obedeciendo a una señal del señor Valentí, despliego brazos y piernas deshaciendo el monstruoso enredo y me incorporo lentamente sobre la mesa, me cruzo de brazos y, con voz clara y fuerte y un suave acento del sur que sé controlar muy bien, recito los versos de Sagarra que han de estremecer al auditorio, y que todavía hoy recuerdo de memoria:

Sant Jordi duu una rosa mig desclosa
pintada de vermell i de neguit.
Catalunya és el nom d'aquesta rosa
i Sant Jordi la porta sobre el pit.
La rosa li ha donat gaudis i penes
i ell se l'estima fins qui sap a on;
i amb ella té més sang a dins les venes
per poder vèncer tots els dracs del món.

La cortina-telón se cierra bruscamente ante mí y una salva de aplausos acoge el final de la obra. En calidad de autor y director, el señor Valentí sale a saludar con los intérpretes, y en seguida público y artistas se funden en un emocionado intercambio de parabienes. Yo estoy confundido; las niñas me miran con curiosidad y recibo las felicitaciones de algunas señoras conmovidas y afables, pero no tardan en dejarme de lado. Me cambio de ropa. Vuelven a servir vino dulce y pastas en el jardín, y consigo hacerme con algunas galletas. El señor Valentí cuenta a sus amistades cómo descubrió al niño-araña en la calle, montado en un veloz patín de cojinetes a bolas e interpretando a la Araña-Que-Fuma como un consumado contorsionista.

Poco después, cuando el señor Valentí se dispone a pagarme lo convenido, le expreso mi deseo de cambiar el duro por otra cosa.

—¿Qué otra cosa?

—Me gusta mucho el pez que he visto arriba.

—Pero ¿sabrás cuidarlo? Hay que darle de comer...

—Me gusta mucho.

Sorprendido, el señor Valentí medita unos segundos. Sonríe y me mira con afecto.

—Está bien. Llévate la pecera.

—Gracias, señor.

Salgo corriendo en busca de mi regalo. Luego, antes de irme, me siento al borde del estanque, delante de la fachada de la villa. Con la pecera sobre mis rodillas, estoy un buen rato contemplando el pez dorado. Los chiquillos juegan en el jardín y las parejas de jóvenes conversan paseando muy formales. Sobre las aguas sombrías del estanque planean raudos murciélagos. Me miro en esas aguas sin verme, una y otra vez.

El atardecer se ha detenido y parece que la noche no va a llegar nunca. De pronto se encienden todas las luces de la villa como si fuese un castillo de fuegos artificiales, y hasta mí llegan canciones tristes, apenas susurradas, desde la pérgola y la rosaleda al otro lado del estanque donde pasean los mayores y corretean los niños, voces melancólicas que hablan de una dulce patria perdida y añorada, de rosas encendidas y de amores muertos, y yo me abrazo a mi pecera apretándola contra el pecho como si fuera mi propia vida, mi felicidad futura, la promesa de un destino radiante. Algo me dice, oyendo ese rumor poético, clandestino y armonioso, que no estoy solo y que nada malo ha de pasarme en esta vida...

Rodeando el estanque, se me acerca un chico bien vestido. Tiene mi misma edad, lleva calcetines amarillos y hunde las manos en los bolsillos del pantalón con un gesto elegante y desdeñoso. Se para ante mí y dice, mirando la pecera:

—¿Este pez es tuyo?

—Sí.

—Lo has robado del estanque.

—Me lo ha regalado el dueño de la casa. Es el pez de oro.

—No hay ningún pez de oro, bobo.

Su aire de suficiencia me cabrea. Observo su nariz respingona e impertinente, sus labios bien dibujados, y escupo entre sus pies:

—Lárgate, chaval.

—Es japonés —me dice—. Y tú no sabes una cosa.

—Qué.

—Estos peces se dejan coger con la mano.

—Ningún pez se deja coger con la mano.

—Que sí. Te lo voy a demostrar. Mira.

Sigo apretando con ambas manos la pecera contra mi pecho. El niño sabiondo introduce la mano en la pecera, agarra el pez sin dificultad y lo saca del agua, abriendo la palma para mostrármelo. Entonces, repentinamente, mientras suelta coletazos, el pez da un brinco y, trazando por encima de nuestras cabezas un arco muy amplio, festivo y luminoso, se sumerge en el estanque de aguas muertas y desaparece. En menos de un santiamén, no deja tras de sí ni rastro. Aparto de un manotazo al niño pijo, me arrodillo al borde del estanque y escruto las aguas turbias por si veo deslizarse o asomar el pez. Nada. Remuevo el agua con la mano, en un desesperado intento de acariciar su estela misteriosa. Es inútil, no volveré a verlo jamás, y alzo la cabeza, que me estalla de rabia, y lanzo al aire un grito desgarrador y desesperado, el grito de guerra de Faneca que todos los de la pandilla habíamos adoptado como contraseña:

—Hi ha cap peeeeeell de coniiiiiill...!

Al oír ese grito, el imprudente chaval huye despavorido. Paralizado por la rabia, lleno de desconsuelo, permanezco allí imaginando al pez de oro que nada en el fondo sombrío del estanque, entre líquenes putrefactos y algas cimbreantes. En esas aguas verdosas y pútridas, pienso con tristeza, el pez está condenado a morir...

Y así me veo todavía, a pesar del tiempo transcurrido, a mí y al pez: yo inclinado sobre el estanque como si fuera a beber en él, y el pez removiendo el limo del fondo, deslizándose en silencio sobre un musgo imperecedero y perdiéndose en la sombra, para siempre.

4

El día de su cita con Norma, viernes, Marés trabajó en la plaza del Pi de diez de la mañana a dos de la tarde. A las doce hizo una pausa y acudió al mercado de la Boquería. Compró una lechuga y dos filetes de ternera, y luego fue otra vez a la posticería de la calle Hospital y adquirió cejas y pestañas postizas. Cuando volvía a la plaza del Pi, hallándose en la calle Cardenal Casanyes, sintió el impulso inexplicable de hacer algo que luego no iba a recordar con precisión: entró en un bar y compró un paquete de cigarrillos Ducados Internacional.

Más tarde vio a Cuxot y a Serafín y tomaron juntos unos vinos, pero no quiso comer con ellos y se fue a casa. Allí comió ensalada y un filete a la plancha y descorchó una botella de Rioja. Después se encerró en el dormitorio con la botella y durmió una siesta de veinte minutos. Le habría gustado dormir más, pero los nervios se lo impidieron. Al despertar vio los cigarrillos Ducados sobre la mesita de noche y no supo cómo había llegado el paquete hasta allí ni para qué, puesto que él no fumaba.

—Bueno, manos a la obra —se dijo, y arrimó una pequeña mesa escritorio a la ventana y sobre la mesa colocó un viejo espejo rectangular cegado por salpicaduras de herrumbre y dos nubes alargadas. Lo apoyó en una pila de libros y dispuso ante él los postizos, los afeites y los pegamentos.

Se sentó a la mesa y durante un buen rato estudió su cara reflejada en el espejo, una cara pálida y contrita, castigada por los años, la memoria amarga de un amor fracasado y el fogonazo intolerante de un cóctel Molotov-Tío Pepe. Cuántas cosas borradas en esta cara. Se miraba en el espejo fríamente, contemplando sin pena ni dolor el tipo ansioso y anodino en que se había convertido. Se llevó las manos a la cabeza, sin ánimo para nada. Su cabello blanquecino y escaso parecía muerto, de hecho no parecía cabello, sino más bien resecos mechones de alfombra. El fuego había desfigurado la expresión tensando la piel, moldeando el cráneo con súbita firmeza. Sospechó, lo mismo que el poeta, que detrás del rostro que le miraba no había nadie.

—Incluso sin ponerte ninguna máscara —se dijo sin amargura—, ¿quién sería capaz de reconocerte? ¿Quién podría identificar esta piltrafa anónima con aquel apuesto don nadie felizmente casado con Norma Valentí?

—Nadie —se contestó con la otra voz—. Capullo.

Ni siquiera ella podría reconocerle. Dejando de lado la acción del fuego, en los últimos tres años se le había caído casi todo el pelo, había cambiado la pigmentación de sus manos, su estatura había menguado misteriosamente, su nariz se había curvado y sus hombros se habían desplomado. La parte inferior de su cara se le había alargado más y más y finalmente se le había caído.

—Bueno, déjalo correr. Allá vamos.

En primer lugar se aplicó un maquillaje de fondo por toda la cara y las orejas utilizando una esponja humedecida con agua. Luego se ciñó la peluca negra y rizada y con la ayuda de almaste se pegó cuidadosamente las patillas y el bigote. Acto seguido empezó a trabajar la expresión; con unas pinzas se depiló el entrecejo y después se pegó las cejas postizas alterando el trazado habitual de las cejas pintadas. Se puso la lentilla verde en el ojo izquierdo y se tapó el derecho con el parche negro. Luego utilizó el lápiz blanco para difuminar ojeras y el marrón para partir la mandíbula creando la sombra de un falso hoyuelo en el mentón. También difuminó los laterales de la nariz, afilándola, y marcó los pómulos y la parte inferior de los párpados. Desde que sufrió las quemaduras faciales, le crecían desmesuradamente los pelos de la nariz y de las orejas, y ahora se los arrancó con los dedos. Lo más difícil fue la colocación de las diez pestañas postizas en el párpado del ojo izquierdo, pelo a pelo, con pegamento duo-sugical-adhesive. En las instrucciones para el uso correcto de las pestañas, leyó que duraban quince días y que uno podía ducharse con ellas.

Poco a poco, detrás de la bruma herrumbrosa del espejo, apareció la cara del charnego soñado mirándole primero con recelo, después con una mueca irónica: un tipo agitanado y parsimonioso, arrogante, con un ojo tapado por el parche negro, el otro verde y pinturero. Era el mismo chulesco personaje que tan inesperadamente sedujo a la viuda Griselda, pero mucho más estilizado, más convincente. Los cartílagos de goma en las fosas nasales le prestaron una nariz aguileña, y ensayó unos rellenos de algodón en la boca alterando así el carácter del mentón.

—Te hace demasiado gordo —se dijo—. Prueba más arriba, junto a los pómulos... No, tampoco.

Advirtió que el algodón le impedía hablar bien y se lo quitó. Con una risueña lentitud, mirándose a hurtadillas, como si esperara de su imagen reflejada en el espejo alguna señal convenida, se guiñó el ojo. Percibió como respuesta una leve sonrisa ladeada y observó que el sarcasmo y la maulería iban creciendo en el único ojo verde que lo miraba, pestañón e inquisitivo, y se levantó dispuesto a cambiarse de ropa. Se puso una camisa blanca —no encontró su favorita de seda rosa, debía estar en el lavadero— y el traje marrón a rayas, tan gruesas que parecían trazadas con tiza, la corbata gris perla y los zapatos de dos colores y tacón alto, y se miró de cuerpo entero en el espejo del armario. Fue como encararse con un desconocido y tuvo un sobresalto. Parecía más alto y más delgado, con la espalda más recta y una cualidad felina en los hombros, las mejillas chupadas y el perfil soberbio.

—Fabulozo —dijo con la voz de Faneca, y dio algunos pasos sin salirse del espejo. Forzando apenas las cuerdas vocales, perfeccionó la voz rota—: Probando, probando —dijo al espejo—. Uno, dos, uno, dos, probando la voz acharnegada y subyugante que ha de enamorar a mi mujer...

Dominada la voz, intuyó que lo único que podía traicionarle era la forma de andar. Faltaban tres horas para su encuentro con Norma y las empleó en ensayar una manera de caminar distinta, con otro ritmo. Después de varios intentos, en los que su esfuerzo por controlar los nervios le dejó casi agotado, consiguió cierta rigidez muscular en la pierna izquierda, una leve cojera que provocó automáticamente otra cadencia corporal al dar el paso, un movimiento de hombros y cintura que nunca antes había exhibido. El cuerpo adquirió de inmediato otra compostura, una gestualidad abrupta y retardada.

Y entonces, cuando ya dominaba plenamente la situación paseándose de un lado a otro por el cuarto, hizo dos cosas que no tenía previsto hacer, que nunca había pensado que iba a hacer y que en realidad no deseaba hacer, como si una voluntad ajena se hubiese apoderado de él: encendió un cigarrillo —él, que nunca había fumado, salvo cuando era un niño— y se cambió la corbata gris perla por otra granate con arabescos tornasolados, mucho más llamativa.

Parado ante el espejo, erguido y un poco de lado, la mano derecha en el bolsillo de la americana cruzada y la izquierda en alto sosteniendo el cigarrillo entre los dedos, el charnego Faneca le miraba detrás de las espirales de humo sonriendo aviesamente.

5

LA VERJA DE LA CALLE estaba abierta, como si le esperaran. Siempre soñó en regresar a este parque, pero nunca pudo imaginar que volvería a entrar en él como la primera vez, cuando era niño: como quien entra en un sueño. Un suave olor a podredumbre, resabios húmedos de una tarde remota o del mismo sueño, le esperaba junto al estanque de aguas muertas. Se paró en el borde, unos segundos, y evocó el pez dorado que un día le escamoteó el destino.

Conforme el murciano fulero se acercaba a la fantástica torre de ladrillo rojo, iluminada y caprichosa con sus tres cúpulas morunas revestidas de cerámica troceada, el sueño se desvanecía. En medio del silencio del jardín, podía oír el rumor de la grava bajo sus zapatos. Esas pisadas desbaratando el sueño le entristecieron. ¡Ánimo, chaval —se dijo—, no es más que una broma!

Una muchacha de rasgos asiáticos le esperaba en el porche manteniendo la puerta abierta. Marés habló por un lado de la boca.

—Soy Juan Faneca. La zeñora me dijo de venir a esta hora.

—Pase usted.

Cruzaron el amplio vestíbulo y la criada filipina le condujo a una salita situada en el ala derecha de la torre, con altos ventanales que daban al jardín. La criada volvió a salir diciendo que la señora vendría en seguida. Paseando la mirada en torno, Marés pensó en las dos tías de Norma, seguramente ya con más de ochenta años. En la época en que él vivió aquí después de casado, apenas tres meses, esta salita era un reducto de las dos ancianas solteronas, estrafalarias y cotillas. A una de ellas, Marés consiguió seducirla y fue su cómplice; la otra se le resistió siempre.

Norma Valentí tardaba en aparecer. Seguramente no me esperaba, pensó, se habrá olvidado de mí. Sentado muy tieso al borde de la butaca, atento a los ruidos de la casa, procuró sujetar los nervios. Escogió esa butaca porque entre ella y la lámpara de pie había un tiesto con una planta cuyas grandes hojas alteraban la luz y creaban zonas de sombra, donde procuró cobijar la cara. Los primeros cinco minutos serán decisivos, se dijo. Si no me reconoce al primer golpe de vista, tengo posibilidades. Si me reconoce, descubro el juego y sanseacabó, y tal vez le haga gracia y nos riamos un poco los dos...

Se levantó y ensayó la nueva manera de andar, cojeando levemente. Sintió un ligero calambre en la pierna izquierda y al caminar realmente le dolía. Confiaba en la máscara de Faneca y en la miopía de Norma. Pero lo que más le preocupaba era la voz, y probó una vez más a camuflarla mientras paseaba de un lado a otro; la depuró y la canalizó reflexivamente, como un tenor canaliza el agudo: la cabeza apuntando al suelo para buscar la resonancia craneal, la diferencia, el paso del aire abierto, el apoyo sobre el diafragma.

Finalmente se abrió la puerta y apareció Norma Valentí, sencilla y elegante, con un cigarrillo entre los dedos y los temibles ojos de agua emborronados tras los gruesos cristales de las gafas. Llevaba zapatos planos, una falda de cuero color tabaco muy ceñida y un jersey negro de amplio escote de pico. Su apariencia esta noche era la de una persona estudiosa y muy atareada que se toma un descanso. Nada más ver a Faneca, se instaló en su rostro una risueña disposición afectiva, como si contuviera las ganas de reír.

—Perdone que le haya hecho esperar...

—No z'apure uzté por mí. Encantao de zaludarla —dijo el charnego con la voz impostada, una voz de oruga mecánica que ni él mismo se acababa de creer—. ¿Me permite expresarle mi agradecimiento por su confianza y su interés, y decirle de paso que e uzté más bonita de lo que m'habían dicho?...

Ella le miró sorprendida, sonriendo, y se dieron la mano.

—Es usted muy amable. La verdad es que tengo el tiempo justo... Siéntese, haga el favor. —Sentándose frente a él, suspiró con aire de fatiga—. Me temo que le he hecho venir para nada. No he tenido tiempo de buscar ese álbum de... de...

—Fu-Manchú. Er chino traisionero de los tambores.

—Llevo una semana que no sé ni dónde estoy, lo siento. Tía Elvira ha encontrado unos libros que pertenecieron a Joan, pero ni rastro del álbum.

Mientras ella se excusaba, Marés se echó un poco hacia atrás en la butaca buscando para su cabeza la zona de sombras, y se ofreció de medio perfil a la mirada cristalina e inquisitiva, pero afable. Observó que, en efecto, Norma le miraba con curiosidad, pero sin recelar nada: sonreía ligeramente por un lado de la boca, como si la situación la divirtiera íntimamente, como si el aspecto refinado y chulesco y las maneras resabiadas y estatuarias de este murciano de cabellos ensortijados y ojos verdes, uno de ellos tapado por el parche negro, le resultaran cuando menos interesantes. Prometió buscar el álbum, puesto que tanta ilusión le hacía a Joan.

—Ya le dije que si está todavía en casa, lo encontraré. Pero tendrá usted que volver otro día.

—Lo que uzté diga, zeñora. Ningún problema.

Norma se acomodó en el sofá y guardó silencio unos segundos observando al envarado y elegante charnego. Descruzó las piernas y volvió a cruzarlas con un gesto que era un reflejo inconsciente de su curiosidad, y con leves crujidos de seda que estremecieron a Marés.

—¿Cómo dijo usted que se llama? ¿Fanega...?

—Faneca. Juan Faneca.

—¿Y dice que es un buen amigo de mi marido?

—Mucho. De toa la vía.

Norma suspiró.

—Háblеme de él. ¿Qué le pasa?

—Le pasa que es un hombre que s'ha hecho a sí mismo —dijo él con parsimonia, girando la cabeza para ofrecer el perfil duro y aguileño con el parche en el ojo—. Y esa clase de hombres son muy misteriosos, zeñora.

—Pero ¿por qué le han ido tan mal las cosas?

—Se abandonó a su suerte, y la suerte no quiso tratos con él.

—¿Y no desea salir de esta situación? ¿Qué piensa hacer?...

—Piensa mucho en uzté. To er día. Una cosa mala, oiga. Estás perdío, Marés, le digo yo, este amor loco te va a matar. Pero él ni caso. Desesperao me tiene, zeñora Norma. ¿Y por qué esa locura tan grande?, me pregunto yo. ¿Hay en er mundo alguna mujé que merezca tanto amor? Amor loco, el peor, el más infernal, retorcío y puñetero de los amores. Y si lo pensamos bien, ¿qué es el amor loco? Miruzté, menda no sabría definirlo, la verdad... Lo han definío poetas, grandes pensadores, catedráticos incluso, pero nadie ha dicho aún la última palabra. El amor loco e una cosa muy seria, zeñora.

Hablaba ayudándose con una gestualidad barroca y fantasiosa, y Norma lo miraba hipnotizada.

—Me han dicho que anda por ahí como un mendigo —dijo Norma—. ¿Es verdad que toca el violín en las escaleras del metro?

—El acordeón.

—Nunca me dijo que supiera tocar el acordeón...

—Tampoco nunca le diría que es medio contorsionista y ventrílocuo. Son habilidades de las que siempre se avergonzó un poco, pobre infeliz.

—¿Y dónde aprendió a tocar el acordeón?

—Aprendió siendo un chaval. Le enseñó el Mago Fu-Ching, el ilusionista. Este Mago hacía unos juegos de manos extraordinarios, fabulozos... No fue un buen padre para Marés, pero el chico le quería mucho. No con la cabeza, ¿m'entiende?, lo quería con el corazón. Y el corazón es el que manda, zeñora.

Norma sonreía discretamente.

—Es usted muy gracioso.

—¿Uzté cree? —entornó el charnego el ojo esmeralda, mirándola de perfil.

—¿También toca usted algún instrumento en la calle, como él?

—No, zeñora. Yo estuve trabajando en Alemania muchos años. Yo m'he labrao un porvenir. Represento una marca muy prestigiosa de persianas venecianas... Pero Marés y yo semos amigos desde niños. Nos criamos juntos en el mismo barrio.

—Ya sé, en lo alto de la calle Verdi.

—Mismamente. Un barrio mu bonito. ¿Lo conoce?

—Joan no solía hablarme de su infancia. Ni siquiera de su familia.

—Ya no tiene familia. Está solo como un perro.

—¡Ay, no diga eso!

—E la verdá, zeñora. Me da una pena mu grande verle así.

—Tiene amigos, supongo.

—Una pareja de vagabundos. Gente derrotada, como él.

Las gafas habían resbalado un poco sobre la nariz de Norma y ella las empujó hacia la frente con el dedo corazón, mediante un gesto frío y aséptico, como si la gente derrotada no tuviera nada que ver con ella.

—Pero... habrá alguna mujer en su vida —dijo en un tono neutro—. Una mujer que se ocupe de él.

—En su perra vida sólo hay una mujé. Uzté.

Norma se rascó una rodilla y suspiró.

—Pues, vaya... Cuánto lo siento. Y tendrá problemas económicos, supongo.

—Dinero no le falta, no, zeñora. Se gana la vida honradamente y bien; por ese lao no se queja. Pero qué vida más arrastrá y desgraciá. ¿Quiere saber cómo transcurre su jorná de trabajo, qué hace desde que se levanta por la mañana hasta que s'acuesta por la noche? Va uzté a llorar, zeñora...

Mientras hablaba, Marés se levantó y, lento y envarado, los codos muy separados de los costados y la barbilla enhiesta, empezó a moverse por la salita cojeando levemente y como si vistiera galas renacentistas. Giraba sobre los talones como una peonza, la mano en la cintura, el perfil levemente desdeñoso sobre el fondo austero de oscuros cortinajes y altos ventanales. Con manos tan parsimoniosas que le parecían de otra persona, encendió un cigarrillo y se interrumpió:

—Uzté perdone... ¿Le desagrada que le hable de Joan Marés? ¿Tiene uzté miedo de avivar el fuego de antiguos sentimientos, zeñora, miedo de los recuerdos felices, del gran amor que sintió por él en el pasado y que hoy ya sólo es ceniza que lleva er viento...?

Norma Valentí parpadeó, fascinada.

—No —dijo tranquilamente—. Joan no es ni siquiera un recuerdo. No es nada.

—¡No diga uzté eso, por el amor de Dios! ¡No tiene uzté corazón!

—Es la verdad.

Marés notó que estaba siendo estudiado y,

mientras hablaba, paseó la mirada en torno procurando evitar la de ella.

—Tiene uzté una casa que parece mismamente un palacio... Fabulozo. Joan me habló de sus tías muy viejecitas. ¿Viven todavía?

—Una de ellas murió. Tía Marta.

—L'acompaño en er sentimiento. Se lo diré a Joan.

—Era su preferida.

—Y ahora que m'acuerdo... M'ha dicho Joan que le pregunte cuándo quiere uzté divorciarse. Ahora la gente ya puede divorciarse en este país.

—Sí, habrá que arreglar eso —suspiró Norma—. Pero por mí no hay prisa, no tengo intención de volver a casarme.

Seguía mirándole con un aire entre reflexivo y divertido. Era una mirada inteligente que, en otras circunstancias, podía halagar a cualquier hombre. Pero ahora Marés recelaba. Dentro de un instante me va a desenmascarar, se dijo. Gritará. Se pondrá histérica. Me insultará, me cubrirá de improperios, me despreciará. Sus ojos medio cegatos, amodorrados tras los cristales como culos de vaso, pueden tardar en identificarme, pero su sensible nariz montserratina es capaz de olfatear la impostura y el serrín del falso charnego a varios kilómetros de distancia.

Sin embargo, cuanto más acentuaba él su envarada gestualidad y sus maneras acharnegadas, más confiada y a gusto parecía ella. Más enigmática, también, más calculadora: mirándole como si empezara a considerar ciertas posibilidades. Finalmente Marés se tranquilizó del todo y pudo exhibir aún más al personaje, mimándolo y perfeccionándolo, permitiéndose incluso alguna coquetería, como ajustarse el parche del ojo con una sonrisa ladeada o pasarse la mano por los cabellos mientras miraba las piernas de Norma. Creía conocer a Norma lo suficiente como para saber cuándo una persona le gustaba, y Faneca le gustaba, o cuanto menos de momento le interesaba.

—Por teléfono me habló usted de una sorpresa —dijo Norma—. De algo que pertenece a Joan...

—Digo. Unos cuadernos escolares donde él fue escribiendo sus recuerdos. Pensé que le gustaría a uzté conservarlos.

—¿Es que Joan se los ha dado para mí?

—¡Qué va! Él los quería quemar, el malaje, y yo me los quedé.

—¿Ha traído esos cuadernos?

—No. ¿Le interesan?

—Me muero de curiosidad —sonrió Norma—. ¿Cuenta cosas íntimas?

—Bueno, algunas... Recuerda cómo uzté le abandonó. Pero sobre todo cuenta cosas de cuando éramos chavales, de nuestras correrías por el barrio, de mí. También de esta torre, de cuando uzté aún no había nacío.

—Me gustaría leerlo. Mucho.

—Se lo traeré. ¿O prefiere uzté que nos veamos en otro sitio? —se atrevió a decir.

Durante un breve instante, ella pareció considerar la posibilidad. Parpadeó tras los círculos concéntricos que agobiaban los cristales de sus gafas, admiró secretamente la orgullosa cabeza rizada del murciano y su mirada de serpiente, pero mantuvo su actitud hierática y dijo:

—Tendrá usted que volver.

Se levantó sonriendo, y él comprendió que era el momento de irse. Se sentía decepcionado. No había tenido tiempo de nada, apenas de exhibirse. Se despidió gentilmente y Norma lo acompañó por el vestíbulo.

—¿Por qué no me da su teléfono, señor Faneca? Por si encuentro el álbum...

Marés sintió que se abría un abismo a sus pies. Ciertamente, había que suponer que vivía en alguna parte. Pero ¿dónde?

—La verdad es que no me sé el teléfono de memoria. —Decidió rápidamente—: M'alojo en una fonda, ¿zabusté? Dispongo de unos ahorrillos y pienso quedarme algún tiempo en Barcelona, esa gran ciudad del seny catalán y las mujeres inteligentes y emprendedoras y libres...

—Vive usted solo.

—Digo. Más zolo que la una. Pa servirla. Vale más vivir zolo que mal acompañao.

—Deme su dirección, haga el favor. Si aparece el álbum de Joan se lo envío con un mensajero. —Sonrió abiertamente y se mordió el labio inferior con los dientes—. O mejor, se lo doy cuando me traiga usted esos cuadernos...

Cuando ella terminó de hablar, saliendo al porche, el emboscado Marés ya había decidido dónde vivía y lo que iba a hacer. Pensó rápidamente: podía haberle dicho que provisionalmente me alojo en Walden 7, en su apartamento, pero estando allí Marés ella nunca iría... Debía atraerla a otro sitio. Tenía, pues, que vivir realmente en algún sitio, disponer de otra dirección, por si Norma quería encontrarse con él fuera de aquí. Así que, plantado ante ella de medio perfil, con la espalda muy recta y una mano en el bolsillo, habló despacio con la voz suavemente enronquecida, acariciadora:

—M'alojo en la pensión Ynes. Está en el barrio más cerca del cielo que uzté haya visto jamás, en la misma calle donde Joan y yo nos criamos. Verdi trescientos doce. E una pensión modesta del año de maricastaña que lleva una gente mu buena y mu simpática. Estoy allí desde que regresé de Alemania, ¿zabusté?, porque en Barcelona ya no tengo familia... La llamaré para darle el teléfono de la pensión y para invitarla a una copa. Si se digna uzté venir será bien recibida, la llevaré a una tabernita que conozco mu resalá...

—Hombre, gracias. —Norma le tendió la mano sonriendo—. Me lo pensaré. Buenas noches, Faneca.

—Hasta muy pronto, zeñora.

6

AL CRUZAR LA VERJA, Marés se enfrentó al ruidoso tránsito de la avenida y sintió un amago de vértigo. Durante un brevísimo instante sufrió la sensación de no ser nadie y de hallarse en tierra de nadie. Volvió la vista atrás para mirar el parque anochecido, amodorrado bajo una tenue neblina. Las luces de la torre brillaban serenas y remotas entre los árboles, como en la otra orilla de la vida. Apoyó la mano en el dragón alado de la verja de hierro y dejó escapar un profundo suspiro. Su actuación ante Norma no le había divertido en absoluto, y se preguntaba la razón. No porque ella no le hubiese mirado con buenos ojos: la ardiente sociolingüista caería en los brazos expertos del murciano, maldita sea, era solamente cuestión de tiempo. Pero ¿acaso lo que se proponía no era, en el fondo, ponerse cuernos a sí mismo? La idea le hizo extraviarse un poco más en aquella tierra de nadie y luego sonrió. Y por qué no, se dijo: Si otros me los han puesto durante años, también puedo hacerlo yo, es decir, ese fantasmón llamado Faneca.

Su mano buscó en su espalda la lengua retorcida en la boca del dragón y se apoyó en ella, y entonces volvió a sentir la cabeza embotada y el alma amarga como si sufriera la resaca de un mal sueño. Recordó de pronto la mandarina podrida que un lejano día estuvo ensartada aquí, en la lengua del dragón, y volvió a su boca el agrio sabor. Sin embargo, a pesar del hambre que pasó de niño, no recordaba que él se hubiera comido aquella mandarina. Se la comió Faneca, que aún tenía más hambre que yo, se dijo. Una mariposa nocturna de alas blancas revoloteó en torno a él y chocó repetidas veces contra la cabeza del dragón arrapado a la verja de hierro.

No fue directamente a casa. Deambuló por los alrededores de la plaza Sanllehy cojeando levemente y luego enfiló la Travessera de Dalt buscando su imagen reflejada en los escaparates. La más turbadora y convincente la vio en el cristal de la tienda destartalada y sucia de un fotógrafo. *Foto-carnet en el acto,* leyó, y no se lo pensó dos veces. Entró y poco después, en un ámbito fantasmal lleno de polvo y de anticuadas escenografías florales, con cielos ilusorios y perspectivas de jardines intransitables, se sentó bajo dos focos cruzados mirando la nada y se hizo fotos que no necesitaba para nada. Mantuvo la boca un poco abierta dejando escapar el desasosiego que le aturdía, y en el momento del flash su respiración se hizo áspera y ronca, como de otra persona y con afanes urgentes: «Tienes que alquilar una habitación en la pensión Ynes ahora mismo —se dijo—, porque ¿y si Norma busca el teléfono en el listín y te llama a la pensión...?»

—Fabulozo —dijo admirando las cuatro copias que le entregó el fotógrafo—. ¿Uzté cree que a un hombre con esa jeta y con esa autoridad en la mirada lo habría abandonado su mujé?

El fotógrafo, un anciano torvo y decrépito que parecía una vieja arpía disfrazada de fotógrafo, se limitó a sonreír con una mueca artificiosa y a cobrarle cuatrocientas pesetas.

Cuando Marés salió a la calle ya había decidido lo que tenía que hacer. Ante la perspectiva de quitarse la máscara y volver a ser el astroso músico callejero torturado a todas horas por el recuerdo de Norma y por la nostalgia del paraíso perdido, se sentía avergonzado. Y haciendo acopio de toda su propia estima, o de aquello que consideraba su propia estima —comportarse como lo haría Faneca, no como lo haría Marés—, se tomó tranquilamente dos copitas de amontillado en un bar de la Travessera de Dalt y luego remontó a pie la calle mayor de su niñez, la arteria principal de su vida.

7

LLEGÓ A LO ALTO de la empinada calle con la lengua fuera. Calle Verdi, tramo final, subiendo. Con un solo ojo veía perfectamente. Esa encrucijada de callejuelas que subían y bajaban en varias direcciones conservaba su atmósfera peculiar y artificiosa, algo tenía aún de cuento de hadas o de cartón piedra por lo abrupto del terreno y por la tenue luz algodonosa de las farolas, que alumbraban las esquinas como en un decorado teatral. Era tan pronunciada la pendiente de algunas calles, que tenían aceras escalonadas. Se paró unos segundos mirando nada y viendo todo: habría podido tantear los portales y las ventanas bajas con los ojos cerrados y adivinar quién vivía allí, o había vivido. La vieja pensión seguía en su sitio, una pequeña torre de dos plantas y fachada gris aprisionada entre dos bloques de altos apartamentos. Se mantenían en pie la breve escalinata de la entrada y las zonas ajardinadas a ambos lados, con un laurel de frondosa copa y una mata de adelfas, pero el aspecto de la fachada era cochambroso y ya no debía ser un negocio boyante. Sobre la puerta, pintado de azul en la pared, el rótulo estaba casi borrado: «Pensión Ynes.» Nunca nadie supo decirle el porqué de esa Ynes con y griega, tal vez era un apellido...

Un poco más arriba, donde ahora había un garaje, estuvo la casa de Faneca, y más arriba aún, en la otra acera, la casa donde vivieron Marés y su madre. La taberna de Fermín, delante mismo de la pensión, se había convertido en el bar El Farol, con luces de neón, máquinas tragaperras y televisor. El falso murciano sintió, de pronto, la armonía social del entorno urbano, la emoción del regreso y la sensación de haber llegado a tiempo. Si en algún sitio le esperaban —y él sabía que durante años nadie le esperó nunca en ninguna parte— era aquí. Recordó el zureo de las palomas en las tardes interminables del verano, los pequeños terrados del vecindario batidos por el viento y los chavales correteando bajo la lluvia con grandes gorros hechos con periódicos en la cabeza, y evocó formas diversas de felicidad sepultadas bajo la losa del tiempo y de la rutina diaria del disfraz y la simulación: los tebeos de la papelería-librería de Susana, las novelas de *El Coyote*, el chasis herrumbroso del Lincoln Continental y los cigarrillos de regaliz, las manos misteriosas y asombrosas del ilusionista Fu-Ching, las aventuras en la montaña Pelada, los besos de Norma al borde del estanque de Villa Valentí... Y lo que en cierta ocasión, siendo un niño, le dijo un médico: «En este barrio, a causa de las subidas y bajadas, los chicos siempre tendréis los pies más sanos que los niños de Sant Gervasi o del Eixample. Pues, ¡coño, qué bien, dijo él, vaya un consuelo.

Dentro de la pensión reinaba el silencio, como si nadie la habitara. Vio el pequeño vestíbulo, el oscuro mostrador, un perchero de madera y el nacimiento de la escalera. El empapelado de las paredes era el mismo, una especie de sol naciente de un malva desteñido repitiéndose hasta el infinito. La nariz y la memoria de Marés estaban recuperando un reconfortante olor a estofado y algunos lances divertidos de cuando él y Faneca frecuentaban de niños la cocina de la pensión, donde siempre consiguieron algo de comer, cuando vio a una muchacha de unos veintitantos años bajando muy despacio la escalera. Tenía los ojos grises y los rasgos delicados, llevaba el pelo negro recogido en un moño y la cabeza muy erguida sobre el esbelto cuello, como si percibiera sonidos lejanos o una música que sólo ella alcanzaba a oír. No dirigió a Marés una sola mirada, pero se paró en el último escalón moviendo la cabeza alertada, como si adivinara su presencia.

—¿Quién está ahí? —dijo—. ¿Qué desea?

—¿Hay alguna habitación libre?

—Sí, señor.

Miraba al frente todo el rato y su expresión denotaba cierta ansiedad. Terminó de bajar las escaleras y, con gran seguridad de movimientos, pero siempre sin dejar de mirar al frente, se situó detrás del pequeño mostrador de recepción. Su cuerpo era de una delgadez que en cierto modo desmentía su manera de moverse, una sensualidad del gesto, una ondulación de las formas.

—¿Pensión completa?

—No, sólo dormir.

—Son ochocientas por noche, y por adelantado. ¿Se va a quedar muchos días, señor?

—Depende. Espero la visita de alguien —atenuó el acento andaluz, pero siguió utilizando la voz pastosa de Faneca de la manera más fluida y natural—. ¿Quiere darme el teléfono de la pensión?

La muchacha le dio el número y él lo apuntó. Observó que mientras ella abría el libro de registro y le daba la vuelta, ofreciéndoselo para la firma, sus ojos grises seguían mirando el vacío. Al verla tantear el mostrador hasta dar con el bolígrafo, comprendió que era ciega.

—Escriba aquí su nombre y apellidos, haga el favor, y también el número de su carnet de identidad.

—La verdad es que el carnet lo he perdido. Uno de estos días me dan el nuevo —dijo—. Pero aquí tengo el resguardo con el número apuntado...

—Está bien, da lo mismo.

Hizo lo que ella le pedía y después descolgó el teléfono.

—¿Puedo hacer una llamada?

—Sí, señor.

—Me llamo Juan Faneca y de niño viví en esta calle. Hace un montón de años. —Marcó el número de Villa Valentí—. Tú aún no habías nacido...

Preguntó por la señora Norma. La criada le dijo que acababa de salir y él dejó el recado: dígale que ha llamado Juan Faneca desde la pensión Ynes, donde se aloja, y que ha dejado el número de teléfono de la pensión. La criada anotó el número y él insistió en que le dijera a la señora que Juan Faneca estaría en la pensión para lo que hiciera falta; que le encontraría sobre todo por la noche, después de cenar, por si quería llamarle o hacerle una visita...

Mientras hablaba no pudo dejar de observar a la ciega, que ahora tanteaba las llaves colgadas en el panel que tenía a su espalda. Cogió la llave del siete. Luego se volvió y puso las manos extendidas sobre el libro de registro y miraba al vacío. En la ceniza húmeda de sus ojos anidaba una risueña dulzura, y en los aledaños de la boca pálida y entreabierta, esa ansiedad de los ciegos: como si bebiera la luz con la boca y no con los ojos.

Marés colgó y dijo como para sí mismo:

—Mañana traeré algo de ropa y algunas cositas de uso personal. ¿Podemos ver...? —se interrumpió, rectificando—: Quiero decir si podría ver mi habitación.

—Ahora mismo, sí, señor. Aquí tiene la llave. Es la siete.

La muchacha se dirigió al pie de la escalera, alzó la cabeza por el hueco y llamó:

—¡Abuela! ¡Un huésped! —Volvió la cara hacia él con una sonrisa y esta vez pareció mirarle—. Suba usted, mi abuela le enseñará la habitación.

—Gracias.

Subió las escaleras con una agilidad que le sorprendió a sí mismo. Esa abuela tenía que ser la señora Lola, a la que él no veía desde hacía casi veinticinco años, cuando enterró a su madre. Estaba en el pasillo restregando el suelo con una fregona. Una mujer de casi setenta años, animosa y fuerte, de ojos vivos y dentadura poderosa.

—¿No s'acuerda de mí, zeñora Lola? No, claro que no. Ha pasao mucho tiempo. Soy Juan Faneca. Fanequilla...

—¡¿Será posible?! —dijo la vieja con la voz rasposa, no exactamente ronca: una voz con verrugas, había pensado él alguna vez, siendo un chaval—. Pues claro que me acuerdo, el hijo de la Rosa... Te fuiste a trabajar a Alemania. Pero no te habría reconocido, ¡qué va!, y con ese ojo tapado. ¡Menuda pieza estabas hecho, sobre todo cuando te juntabas con...! ¿Cómo se llamaba aquel demonio?

—Juanito Marés.

—Dame la llave, te enseñaré la habitación. Eso, Marés. Siempre tenía hambre, siempre venía por aquí a ver si pescaba algo —dijo abriendo la puerta—. Su madre se llamaba Rita Beni. Benítez. Lo dejó en Beni ya de soltera porque le sonaba a artista italiana... Pasa. Y tú también venías mucho por aquí, ya me acuerdo, ya. ¡Ah, qué buenos tiempos aquellos, a pesar de todo! Se trabajaba mucho más. Si tardas un poco en venir, a lo mejor habrías encontrado cerrado... De hecho esto ya no es una pensión, no viene nadie. Al morir mi marido cerré parte de la torre y me quedé unas pocas habitaciones. ¿Sabes cuántos huéspedes me quedan? Dos viejos jubilados que no tienen a nadie en el mundo...

La habitación era pequeña y limpia. El viejo empapelado de las paredes aguantaba bien. Una cama, un armario, un lavabo empotrado en la pared, dos sillas, un perchero de pie.

—Antes tenía algunos estudiantes —prosiguió la vieja—, pero cuando abrieron la residencia de la Travessera, todos se fueron... ¿Y tú qué has hecho tantos años en Alemania? ¿Has ganado mucho dinero?

—Tengo algunos ahorrillos.

—Cuando murió tu padre y tu pobre madre regresó a Granada, estuve a punto de coger a mi nieta y marcharme yo también. Cuanto más vieja me hago, más encuentro a faltar el pueblo.

—¿La muchacha que me atendió es su nieta?

—Hija de Concha. ¿Te acuerdas de mi hija Concha? Se casó y murió de parto. Su marido se fue con otra a los seis meses dejándome a la niña, y no hemos vuelto a verle. Aquí no hemos vivido más que desgracias, hijo.

—¿Es ciega de nacimiento?

—No. De que tenía trece años. Tuvo una bajada de calcio o no sé qué, estuvo en coma quince días y se quedó ciega. Pero no veas, se desenvuelve en la casa mejor que yo. Le gusta mucho la televisión... Se llama Carmen. Si quieres verla contenta, dile que es bonita. Eso y las películas, lo que más le gusta. —No paraba la vieja de hacer cosas: arreglarse la horquilla del pelo, alisar la colcha de la cama, abrir el armario ropero, pasar un paño por la mesilla de noche—. Estoy muy preocupada con esa niña. Es algo que me angustia. Yo soy toda la familia que le queda, y cuando yo falte, ¿quién se ocupará de ella? Es una chica muy buena, pero necesita mimos, mucha compañía. —Algo enturbió sus ojos, suspiró—. No sé por qué te cuento todo eso...

—Porque uzté e mu güena, zeñora Lola, y porque yo soy su amigo.

—Veo que no te han cambiado tanto en Alemania, aún tienes aquel acento que te trajiste del pueblo. ¿Y en qué trabajabas, en Alemania?

—Vendedor de persianas venecianas.
—¿Y no te has sentido muy solo todos estos años?
Vio asomar una repentina tristeza en los ojos de la mujer, y de repente se sintió vulnerable, indefenso.
—Sí, la verdad es que sí.
—¿Qué te pasó en el ojo?
—Un accidente laboral...
La señora Lola suspiró y dio por terminado su examen de la habitación.
—En fin, olvidemos las penas. ¿Te gusta el cuarto? Te haremos una rebaja porque eres tú... ¿Te quedas a cenar?
—Otro día. Ahora me voy. He estao viviendo en casa de un amigo y tengo que ir a recoger algunas cosillas. A lo mejor no vuelvo hasta mañana.
—Como quieras. Estás en tu casa, hijo.
Ahora, apoyando ambas manos y la barbilla en el palo de la fregona, la vieja le miraba con alegría sincera, y admiraba su traje de americana cruzada y su apostura, su bigote y su parche negro en el ojo, sonriendo complacida. Y él se le acercó, le puso las manos en los hombros y la besó en la frente. Gracias, zeñora Lola, dijo. Como siempre, no tardaría ni diez minutos en arrepentirse de esa debilidad. Tú a lo tuyo y corta el rollo, se dijo mientras bajaba animosamente las escaleras, estas cosas sólo las haría el pelma de Marés.

8

NO VIO A LA MUCHACHA CIEGA en recepción. En una salita contigua, un televisor emitía destellos en la penumbra. Marés se asomó. Era una película antigua, una familiar sinfonía de grises: mujeres con ceñidos vestidos de lamé rodeaban a un hombre con smoking, elegante y parlanchín, en un cabaret fúlgido y espejeante. Sentada en una mecedora con la cabeza erguida, las rodillas juntas y las manos yertas en el regazo, Carmen recibía la luz parpadeante del televisor y prestaba toda su atención a los diálogos del film. A su lado, en una butaca profunda, un viejo liaba un cigarrillo con parsimonia.

—¿Qué hacen ahora, señor Tomás? ¿Dónde están? —preguntó la muchacha volviendo un poco la cara hacia el viejo.

—Están en una fiesta —dijo el señor Tomás con desgana, y siguió liando el cigarrillo—. Eso parece.

—Pero ¿él qué hace? ¿Con quién está?

Mal que bien, gruñendo, porque su interés por la película era nulo, el viejo atendía a lo que pasaba en la pantalla e iba contestando a las preguntas de ella. Era un hombrecillo rechoncho y pulcro, de canoso pelo de cepillo y ojos saltones. Marés permaneció un rato en el umbral y pudo observar cómo se las apañaba para contarle a la ciega determinadas escenas de mucho movimiento. En cierto momento, la muchacha adivinó una presencia a su espalda e irguió aún más la cabeza. Pero la voz metálica del protagonista parecía tenerla subyugada y no dejó que nada distrajera su atención. Por su parte, el señor Tomás no terminaba de liar su cigarrillo. Marés tuvo de pronto la agradable sensación de que en esta casa el tiempo se había parado.

—¿Cómo es, qué aspecto tiene? —dijo la muchacha con una tímida sonrisa—. ¿Cómo es ese hombre, señor Tomás?

El viejo contestó con evasivas, enfurruñado, y balbuceó unas palabras, «buen mozo, simpático», atento al cigarrillo que no acertaba a liar con manos temblorosas.

El impostor Faneca recostó el hombro en la puerta de la salita y dijo, suavizando el acento andaluz:

—Es un hombre de unos treinta y cinco años, moreno, con bigote y hoyuelos en las mejillas. Es muy elegante. Sonríe por un lado de la boca con aire socarrón y levanta la ceja al mirar a las mujeres. Lleva un parche negro en el ojo derecho y es muy guapo. Las mujeres que le hacen la rosca son fascinantes, pero ninguna es tan bonita como tú, niña...

Carmen dejó pasar unos segundos y luego dijo, sin volver la cabeza:

—Gracias, señor. —Y siguió escuchando la película.

Faneca sonrió a su propio fantasma y dio media vuelta, dirigiéndose a la calle.

9

ABANDONÓ LA PENSIÓN con una sensación de aturdimiento. En la calle, bajando, sintió de pronto que perdía pie. Si no me paro me voy a marear, voy a perder el sentido, se dijo: deberías correr a casa y rescatar a ese imbécil de Marés del fondo del espejo. Sus últimas noches en Walden 7 habían sido desoladoras, preñadas de insomnio y de sirenas de ambulancia, presagios de soledad y de muerte.

Cogió un taxi y media hora después estaba en casa. En la cocina encontró una nota de la mujer de la limpieza recordándole que comprara un limpiacristales y una fregona. Se quitó la americana y el parche del ojo, pero no abrió el párpado durante mucho rato. Un solo ojo le bastaba para medir su desventura. Conectó el televisor y daban la misma película que Carmen escuchaba en la pensión: él conduce un veloz descapotable con los cabellos al viento, ella le echa los brazos al cuello y le besa, él cierra los ojos durante el beso, con grave riesgo de estrellar el automóvil: es una cosa tan frágil la felicidad. ¿Quién le contaría eso a la ciega, quién se lo haría ver?

Sentía calor y abrió la ventana a la noche

clara y estrellada. Abajo, invisible y tensa, la gran red recogía en silencio las losetas que se desprendían del edificio, ya casi despellejado. Brillaban a lo lejos las luces de Esplugues, la autopista parecía desierta. Remotas y borrosas chimeneas, altísimas, humeaban en las afueras de la ciudad, la noche sudaba los sempiternos afanes del día y no corría el aire, no había modo de salirse de uno mismo y tomarse un respiro. Solamente el falsario ojo verde parecía capaz de acuchillar la noche, desentrañar su falacia. La máscara y la amnesia, ése es el camino... Marés sintió que sobre él se cernían nuevamente la desesperación y la soledad.

Preparó un puré instantáneo y un filete a la plancha y, mientras cenaba, hizo sus cálculos: Norma podía muy bien no presentarse nunca en la pensión —tal vez ya no estaba para aventuras, había cumplido los treinta y ocho, tal vez los charnegos irredentos ya no la enloquecían como antes y se conformaba con su actual amante, ese papanatas monolingüe— o podía presentarse en una semana, o en un par de días, quién sabe; en cualquier caso, tenía que estar preparado. Vamos a suponer que necesito un mes, tanto si me salgo con la mía como si no. A ochocientas pesetas por día significa un gasto mensual de casi veinticinco mil. Eso contando sólo el dormir en la pensión, había que añadir gastos de comidas, taxis y copas... No parecía excesivo. Contaba con sus ahorros, pero, además, si ese cabrón de Marés se avenía a darle al acordeón cada día, cubría gastos de sobra.

Olvidó quitarse el resto del disfraz, incluida la lentilla verde, y se acostó temprano. No se sentía tan solo y desvalido como otras noches, y, antes de ponerse a pensar en Norma, como hacía siempre, dedicó un recuerdo fugaz a la señora Griselda en su lecho profundo y cálido habitado por el osito de peluche. Luego, echado de lado en posición fetal, empezó a imaginarse a Norma acudiendo una noche a la pensión Ynes... Sin embargo, por vez primera en mucho tiempo, se durmió pensando no en la mujer deseada sino en Carmen, la muchacha ciega que se hacía explicar las películas de la tele.

Se despertó de madrugada a causa de una pesadilla recurrente en la que llamaba a Marés con desespero, instándole urgentemente a que comprara una fregona y un limpiacristales. Sintió náuseas y poco después se encontraba vomitando en el retrete. Cuando terminó de vomitar, se sentó en la tapa del wáter dispuesto a reflexionar un rato sobre su destino. No se le ocurrió nada. Al tirar de la cadena del wáter advirtió que estaba roto el bote sifónico del depósito, oyó el estruendo del agua y tiró con más fuerza y rompió la cadena.

—¡Vaya! —dijo—. Este manazas de Marés...

Se le cayó la lentilla verde del ojo y la estuvo buscando a gatas. Finalmente la encontró y se la puso. También se puso el parche en el otro ojo, y eso, de algún modo, lo sosegó. Pero esta noche durmió con un ojo abierto. Desde la cama podía oír los gemidos nocturnos del Walden 7, la respiración agónica del desfachatado edificio: regurgitar de cañerías, impacto de losetas que caían más allá de la red, crujidos y quebrantamientos diversos. El descalabro del monstruo proseguía, y Marés sentía que la vida estaba en otra parte y que él no era nada, una transparencia: que alguien, otro, miraba esa vida a través de él.

10

—No te entiendo —dijo Cuxot mientras dibujaba en la calle—. ¿Quieres explicarte mejor?

—Te estoy diciendo que mi mujer se verá seguramente, fatalmente, con un amigo mío —dijo Marés.

—¿Dónde?

—En la pensión donde vive mi amigo.

—¿Y tú cómo lo sabes?

—Él me lo ha dicho. Bueno, se trata de una cita no formalizada todavía. Es probable que ella no se dé mucha prisa en ir, no dijo nada de eso. Pero la conozco, y acabará por ir.

—¿Ah, sí? ¿Se trata de otra de sus locas aventuras con guitarristas y limpiabotas?

—Eso me temo.

—¿Y quién es él? ¿Otro murciano saleroso?

—Es este de la foto-carnet que estás copiando. A que tiene buena pinta.

—Parece un chuloputas bastante peligroso. ¿Cómo perdió el ojo? ¿En una reyerta con navajas? Supongo que debe gustar a las mujeres, menuda jeta de comecoños catalanufos... Te voy a cobrar por el dibujo, no te creas. ¿Es para él?

—No. Es para un regalo.

—¿Y cómo puede ligar tu mujer con tíos así? ¿Dónde lo hace?

—No olvides que Norma es sociolingüista —dijo Marés con una voz llena de parásitos, súbitamente contaminada de otra voz—. Que tiene un trato constante con los charnegos y con su lengua...

—¿Qué te pasa con la voz?

—No sé.

Cuxot dejó escapar un gruñido y siguió dibujando.

—Bueno ¿y qué vas a hacer ahora?

—Nada. Conozco la historia y me jode un poco, pero no haré nada.

—¿Sabes qué te digo, Marés? Que eres un cachocabrito y que te den muy por el saco con tus historias de cuernos.

Marés rindió la cabeza a un lado y dulcemente aplastó la mejilla en el acordeón, atacando la sardana con unos acordes previos que hacían imposible seguir con la conversación.

Estaban en la Avinguda Portal de l'Àngel, frente a los almacenes Jorba, con el suelo a su alrededor sembrado de folletos de propaganda de todos los colores. Sentado en su sillita de tijera, Cuxot dibujaba al cartón el retrato de Faneca que le había encargado Marés, y éste tocaba *La Santa Espina* al acordeón sentado en el suelo y con un cartel bilingüe en el pecho:

MÚSIC CATALÀ
EXPULSADO DE TVE EN MADRID
AMB 12 FILLS I SENSE FEINA

Había planeado trabajar hasta las dos o las tres de la tarde, comer algo con Cuxot y Serafín y luego seguir tocando hasta las seis por lo menos, pero a la una y pico empezó a sentir un desasosiego y una angustia que le agarrotaron las manos y le impedían tocar. Cuxot le aconsejó cambiar el rótulo, demasiada coña, le dijo, pero a muchos viandantes les causaba lástima o les hacía gracia y dejaban caer monedas. De pronto, a Marés se le volvió a cerrar el ojo derecho y no lo podía abrir. Cuxot se dio cuenta.

—¿Qué te pasa en el ojo? ¿Por qué haces gañotas?

—No lo sé. Me tengo que ir, no me encuentro bien...

—Compañero, si no controlas tus delirios acabarás tarumba.

—Estoy confundido. Desde hace algún tiempo tengo mareos y se me olvidan las cosas. A veces me cuesta llegar a casa, y no sé en qué piso vivo... ¿Crees que podría tener el mal de Alzheimer, la enfermedad del olvido?...

—¡Qué olvido ni qué narices! —gruñó Cuxot—. Empinas demasiado el codo, eso es lo que te pasa.

—¿Cuándo tendrás el retrato de mi amigo?

—Si esperas un poco te lo puedes llevar.

Pero no hubo tiempo para nada. De pronto se levantó un viento húmedo y el cielo se ensombreció, los folletos de colores empezaron a elevarse y a arremolinarse en el aire y en el cielo se instaló un tumulto gris de nubes y palomas. Marés volvió a notar un aturdimiento y como si la sangre retrocediera en sus venas. Recogió su dinero y su acordeón y, empujado por un torbellino de pesadumbres, las manos en los bolsillos y la cabeza entre los hombros, se fue de allí como alma que lleva el diablo y con un ojo ciego.

11

En medio de ese vértigo que a ratos le confundía y a ratos le estimulaba, intuyó que debía preservar algo que de algún modo tenía que ver con la propia estima, dondequiera que ésta se hallara después de tantos años de haberla perdido. Apresuradamente, frente a la ceniza del espejo, recompuso la imagen de Faneca y luego encendió un cigarrillo y se relajó. Se puso el traje marrón a rayas y se cepilló la americana cruzada. La sangre volvía a latir en sus venas. El ojo verde le miraba de nuevo alegre y zumbón detrás de la nube ciega del espejo, mientras el humo del cigarrillo se enroscaba en su cara serrana.

—No volverás a joderme, Marés —dijo—. Me enseñarás a tocar el acordeón y ya no te necesitaré para nada.

Abrió la nevera y comió unas lonchas de jamón dulce y dos manzanas. Luego sacó una maleta pequeña de lo alto del armario y la llenó de ropa interior, camisas, calcetines y un par de corbatas. No encontró la camisa de seda rosa y pensó: «Se la habrá puesto él.» Se trajo del baño las cosas de afeitar y también las puso en la maleta. Finalmente se sentó a la mesa y escribió una nota: «Querido amigo Marés, estoy impaciente por recibir noticias de tu ex mujer. Temo que en cualquier momento pueda llamar o presentarse en la pensión sin encontrarme. Así que he decidido estar allí por las tardes. Con tu permiso me llevo algo de ropa y tus cuadernos de memorias para que Norma los lea, sé que le gustarán mucho. Necesitaré algún dinero, así que me llevo también un talonario y copiaré tu firma. Un abrazo. FANECA.»

Consultó la hora, las tres y media, preparó café y con un chorrito de coñac se hizo un carajillo. Tomó el primer sorbo y decidió no esperar los acontecimientos, sino precipitarlos. Era un sábado y confiaba encontrar a Norma en casa, relajada y receptiva, tal vez en bata y aburrida de estar sola... La Norma cegata y perezosa y doméstica que Marés conocía bien, la Norma que se alegrará secretamente de verte, Faneca, se dijo.

Media hora después, con la maleta en la mano y los cuadernos bajo el brazo, estaba en Villa Valentí.

—Dígale a la zeñora que le traigo lo que me pidió —dijo a la criada filipina—. Las memorias de su marío.

La muchacha le hizo pasar a la misma salita que la otra vez. El sol encendía los vitrales, pero en la estancia predominaba la penumbra. El viejo parquet crujía tan agradablemente bajo sus pies, y ese crujido le traía tan gratísimos recuerdos, que prefirió no sentarse. Mientras esperaba hojeó los cuadernos escolares. Eran tres, con las cubiertas grises bastante sobadas y las páginas pautadas llenas de una caligrafía neurótica, pero perfectamente legible. «Menos mal que Marés tiene buena letra», se dijo.

Lo mismo que la otra vez, Norma Valentí le recibió con una chispa de curiosidad en los ojos y una falacia en el trato: no le interesaba tanto lo que traía aquí al personaje como el personaje mismo. Llevaba un ceñido pantalón blanco que realzaba su hermoso trasero y una blusa floreada, iba descalza y un poco despeinada y exhibía un aire juvenil y desmañanado. No apartaba los ojos del charnego tuerto y arrogante y a ratos parecía estar conteniendo la risa.

—Lo leeré esta misma noche —dijo después de agradecer los cuadernos—. Tengo una gran curiosidad... ¿Me trata bien?

—Habla de uzté fabulozamente, con gran sentimiento y doló. Al perderla a uzté, perdió la razón... Pero más que nada, en esos papeles recuerda su infancia.

—Me contó muy poco de su vida. Me casé con un desconocido. Siéntese, por favor.

—¿Qué le gustaría a uzté saber? —Se sentó muy tieso en la butaca, ladeando un poco la cabeza para verla con el ojo destapado—. Lo sé tóo sobre este infeliz.

Norma se sentó en el diván replegando las piernas y aceptó el cigarrillo que él le ofrecía.

—Gracias. Por ejemplo, ¿era de verdad huérfano? ¿O es que no quería hablar de sus padres?

—Su madre le daba al morapio una cosa mala, zeñora Norma. Padre no tenía. Mejor dicho, no quería que se supiera que era hijo de un ilusionista.

—¡Un ilusionista! ¡Qué bonito!

—De bonito, res, maca —se le escapó. ¡Cuidado, imbécil!, se dijo con la voz neutra, y de pronto no supo a quién pertenecía esa voz y se desconcertó, sufrió un amago de vértigo: la memoria del yo se le quedó escindida, en tierra de nadie, durante unos segundos angustiosos.

Ajena al desliz, Norma encendió el cigarrillo con la cerilla de él y luego dijo, pensativa:

—Ya que lo menciona... Ahora veo que, en cierto sentido, Joan heredó muchas cosas de ese... ilusionista.

—Huy, no lo sabe uzté bien. El Juanito Marés que uzté conoció era un cuento chino, un camelo, un personaje fabulozo inventado por un muchacho soñador de la calle Verdi. Un delirio personal del propio Marés.

—Puede ser. Pero el amor que sentía por mí era auténtico. Lo fue desde el primer día.

—Digo. Pero era un desgraciao...

—¿Era? Habla usted de él como si hubiera muerto.

—Siento como que ha muerto, zeñora. Me da mucha pena, pero las fatigas que está pasando, él se las buscó. Este muchacho era algo así como el timo de la estampita, y ahora lo está pagando. Yo me considero su mejor amigo, el único que le comprende, pero de verdá que no sé cómo ayudarle. Cada día que pasa nos entendemos peor. Yo soy un echao palante, y él es un saborío. —Ladeó la cabeza con cierta coquetería y se ajustó el parche del ojo, luego comprobó la posición de la cinta en la nuca y añadió—: ¿Uzté cree que es normal eso de darle al acordeón en la calle, un día y otro día, y asín hasta que se muera? Compartimos unos recuerdos, eso es to lo que nos une. ¡Hay que ver cómo se ha echao a perder ese muchacho! ¡Un catalán tan guapo, inteligente y cultivao!

—Sí, pero... se tomaba demasiado en serio.

—Hoy es un pingajo en una esquina, una calamidad.

—¡Qué exagerado es usted! Pero me gusta oírle hablar de Joan, resulta muy divertido —entonó Norma, y con la mano se rascó el empeine del pie. Llevaba las uñas de las manos y de los pies pintadas con esmalte blanco transparente—. ¿Le apetece tomar algo?

—Pues una copita de jerez no vendría mal.

Norma llamó a la doncella y pidió el jerez y dos copas. Después guardó silencio un rato. Ovillada en el diván, abrazada a sus rodillas, miraba al murciano como hipnotizada.

—Hay algo en usted que me tiene intrigada —dijo finalmente—. Creo que, en el fondo, usted no aprecia a Joan.

—Le quiero como a un hermano. Pero me jode ver cómo se está matando.

—Me he preguntado muchas veces qué hizo cuando yo le dejé, cómo se las apañó... Bueno, de qué vivía.

—No le gusta hablar de eso. Según Cuxot, su compañero de fatigas, se puso a hacer reparaciones eléctricas por su cuenta.

—Lo que no me explico es esa caída vertiginosa en la mendicidad, en el arroyo... Quiero decir —añadió Norma, un poco asombrada de sus propias palabras— que no entiendo por qué se vio de la noche a la mañana convertido en un pobre músico callejero.

—Ni él mismo sabe explicarlo. Dice que una

mañana, después de levantarse de la cama, en Walden 7, se miraba en el espejo del cuarto de baño, y que el espejo lo atrapó. Eso dice él. Que no podía escapar de allí, del espejo, por más que intentara mover las piernas: como si las tuviera atornillás al piso, oiga. Y dice que estuvo allí mirándose dos horas y media, y que después se vistió con ropas viejas y se puso un par de zapatos destrozados, se compró un acordeón de segunda mano y fue a sentarse en las escaleras del metro, extendió ante él una hoja de periódico y se puso a tocar. Así fue como empezó. ¿Uzté lo entiende? Menda tampoco.

Norma admitió que, en efecto, tenía que haberle pasado algo raro. Una fuerte depresión, seguramente. La doncella trajo el jerez y Norma le sirvió una copa al charnego y luego se sirvió ella, mientras le pedía, un poco excitada, que le contara más cosas de Joan, por favor. Fue complacida durante media hora y tuvo la sensación de que Faneca hablaba de su amigo como si de un fantasma se tratara, una máscara, un impostor. Envuelto en el humo de su cigarrillo, distante y sarcástico, el charnego evocó el barrio y la casa de Marés, la madre alcohólica y sus amigotes de la farándula, el padre desconocido que al parecer no era otro que el Mago Fu-Ching, la niñez rapiñosa y ventrílocua y contorsionista y las actuaciones de El Torero Enmascarado en las varietés del cine Selecto en los años cuarenta, un número de rapsoda que hacía Marés de niño y que consistía en recitar pasodobles y cuplés vestido de torero y con antifaz, tuvo bastante éxito. Y también evocó las fantasías de niños que urdieron juntos, las áureas cúpulas de Villa Valentí y el gran eucalipto del jardín y la verja interminable y las locas carreras con el patín de cojinetes a bolas, la Araña-Que-Fuma y el pequeño teatro de la parroquia, luego las agrupaciones de aficionados de Gràcia, el Orfeó Gracienc y La Violeta, los primeros papeles de galán, la muerte de su madre, el encuentro con Norma en la sala de actos de los Amigos de la Unesco... Hablaba del pasado de Marés con despego, sin afectación alguna, como si se tratara de un hombre al que había estado muy unido alguna vez pero con el que ahora ya no tenía nada que ver.

—Usted es su mejor amigo, no hay duda —admitió Norma.

—Lo fui.

—Si no lo fuera, no sabría tantas cosas de él. —Esperó otro rato, observándole atentamente, y cuando iba a añadir algo él se levantó y dio unos pasos por la salita cojeando levemente, erguido, una mano en el bolsillo y en la otra la copa de jerez, dejándose mirar. Finalmente Norma dijo—: ¿Qué es eso de El Torero Enmascarado?

—Cuando Marés tenía catorce años ya sabía tocar el acordeón y recitaba poesías —contó él—. Todo lo aprendió de un artista de varietés, un jotero retirado que estuvo viviendo un par de años con su madre y que tuvo por nombre artístico El Maño de los Pies de Oro. El chico había trabajado en el garaje del señor Prats y luego con un electricista, pero lo había dejado y soñaba con dedicarse a algo grande. Por mediación del jotero, que estaba relacionado con el mundo de las variedades, Marés estuvo actuando algunas semanas en los cines Selecto y Moderno, que ofrecían espectáculo al concluir la proyección de películas. Aparecía en los carteles como El Torero Enmascarado y ocultaba su identidad bajo el antifaz, pero en seguida supimos que era él, dijo Faneca. En escena lucía un traje de luces y tocaba el acordeón y recitaba poesías y letras de pasodobles. El chaval gustó mucho, pero hizo una carrera efímera: su madre y el jotero tuvieron la peregrina idea de incluir en su repertorio poesías en catalán y sardanas, y eso propició el fracaso. Un día, en el cine Selecto de la calle Major de Gràcia, el niño torero fue abucheado y su orgullo quedó tan maltrecho que no quiso volver a salir a escena vestido de luces.

—¡Qué historia maravillosa! —dijo Norma.

—No debe extrañarle que Marés nunca l'hablara de eso. No le gustaba recordar sus fracasos. Y hay otra cosa que uzté no sabe: su marío vino a este mundo como quien se mete en una caja de zapatos.

Norma se echó a reír.

—¡Pero ¿qué dice usted?!

—Que me muera aquí mismo si no e verdá.

Según contaba su madre cuando el morapio la ponía alegre, dijo Faneca muy animado, Marés nació exhibiendo sus habilidades de contorsionista. No es sólo que naciera de culo, sino que lo hizo también y al mismo tiempo de cabeza, es decir, doblado como esas muchachas ayudantes de ilusionistas que son capaces de introducirse en una caja de zapatos con la cabeza entre las piernas.

—¡Pero esto es fantástico! —exclamó Norma—. Jamás oí nada semejante.

—Digo. La pura verdá.

Su boca mantenía el rictus altanero, levemente irónico, que intrigaba a Norma: a ratos parecía interesado en que ella no acabara de creer ni en sus palabras ni en su apariencia, como invitándola a penetrar una verdad más íntima que había de satisfacerla mucho más. Después de otro silencio, durante el cual se observaron mutuamente, Norma se quitó un momento las gafas para limpiarlas con un pañuelo y dijo:

—Y ahora ¿por qué no hablamos un poco de usted?

—Mi vía no tié ningún interés.

—Usted qué sabe. ¿Cuántos años tiene, Faneca?

—¿Cuántos me hace?

—Usted es más joven que Joan. Cuarenta...

—Dejémoslo así.

—¿Signo del zodiaco?...

—Géminis.

—¡Ah! Doble personalidad.

—Digo. Yo too lo tengo doble, menos la vista.

—Y a su edad, y viviendo en Barcelona, ¿cómo es que no habla usted catalán?

—He estao trabajando en Alemania muchos años...

—Aun así, hombre —insistió Norma—. Debería acordarse. Venga, algo sabrá. ¿De verdad no sabe decir nada en catalán?

—No, en serio.

—Pero ¿nada de nada de nada? ¡No me lo creo!

El juego parecía divertirla e insistió, riéndose:

—No me diga que se siente usted incapaz de pronunciar una palabra, una sola. ¡Vamos, hombre!

—Bueno, ya que se empeña uzté... De niño aprendí a decir una cosa que le oí muchas veces a un vecino mu guarro.

—¿Qué cosa?

—Es que yo pronuncio mu malamente. Y me da un poco de vergüenza.

—Es natural que tenga usted acento, pero eso es lo de menos; no debe avergonzarse.

—No es solamente por el acento, no, zeñora...

—¡Entonces dígalo, hombre! ¡Atrévase!

—Bueno. Allá voy.

Carraspeó un par de veces y se acomodó en la butaca con la espalda muy recta, miró a Norma fijamente a los ojos procurando traspasar los gruesos cristales de sus gafas de miope y dijo con la voz impostada, ronca:

—Fes-me un francès, reina.

Norma permaneció un rato callada. Ni siquiera pestañeó.

—¿Solamente eso? —dijo por fin, y sus labios ya no sonreían como antes—. Me refiero a si no sabe decir otra cosa. ¿Quiere un poco más de jerez?

Se había levantado y llenaba las copas. Para ver mejor lo que hacía, ya que estaba de espaldas a la luz de la ventana, se desplazó alrededor de la mesa y entonces quedó de espaldas a él y ligeramente inclinada, con las nalgas enhiestas bien ceñidas por el pantalón blanco. El murciano fulero consideró con su ojo verde la pieza y la ocasión y se dijo: «Ahora o nunca.» Lo decidió en cuestión de segundos, pero en realidad lo llevaba escrito en la frente desde que entró en Villa Valentí. Caminando con altivez se acercó a Norma por detrás y, sin pensarlo dos veces, depositó suavemente la mano derecha en la nalga. Tenía la sensibilidad casi en suspenso por la emoción del momento, pero aun así la mano pudo calibrar la sorprendente firmeza del trasero, su juvenil encabritamiento. Le pareció, curiosamente, un culo hospitalario y desconocido, que nunca había sabido explorar y que en cierto modo ya no le pertenecía. Dejó la mano quieta en la nalga y esperó acontecimientos. Lo peor no sería una bofetada o una sarta de insultos —se dijo—, sino quedarme de pronto aquí solo y ver llegar luego a la doncella invitándome con fría indiferencia a abandonar la casa... Sin embargo, no ocurrió nada de eso. Norma volvió tranquilamente la cabeza y le miró con sus ojos indescifrables, enterrados en una vorágine cristalina de círculos concéntricos, y luego dedicó nuevamente su atención en lo que estaba terminando de hacer, llenar las copas de jerez. Su nalga no acusó sorpresa ni temblor alguno, el menor respingo o retraimiento; indiferente, dura, estaba allí soportando la mano abierta como si no tuviera nada que ver con ella. Todo ocurrió muy rápido, pero al charnego le pareció eterno: muy pegado a la espalda de Norma, pero sin rozarla, aspirando el cálido aroma de sus cabellos y su nuca, su mano se demoró en la presa, sobándola ahora discretamente. Entonces, habiendo ya terminado de llenar las copas, ella se volvió despacio.

—Tiene usted bastante caradura.

—Lo he hecho con la mejó voluntá, zeñora.

—No me diga.

—¿La he ofendío?

—No haga preguntas idiotas. —Se sentó y cruzó las piernas muy despacio, sonriendo sin mirarle—. Pero no vuelva a hacerlo. Y menos en mi casa.

—E uzté una mujé maravillosa.

Ella entornó los ojos recelosamente:

—¡Virgen Santa! Me gustaría saber qué le habrá contado Joan de mí...

—Que está acostumbrada a manejar a los hombres.

—Eso es casi un insulto. Pero hablaremos de todo eso en otro momento, tal vez. He pasado un rato la mar de entretenido, Faneca, y se lo agradezco. —Se levantó y le tendió la mano—. Cuando me haya leído esos cuadernos de Joan le llamaré a la pensión y quizá me anime a hacerle una visita. Creo que me gustaría ver la calle donde se criaron usted y el fenómeno de mi marido...

—¡Fabulozo! ¿Y cuándo será eso?

—No lo sé. Ahora váyase.

No fue acompañado a la puerta, pero se sintió observado en el jardín y sobre todo al pararse junto al estanque de aguas verdes, donde recordó una vez más el áureo y escurridizo pez que un día saltó de las manos de Marés para hundirse en la nada. Calma, Fanequilla, se dijo en voz baja, a ti no te pasará lo mismo. Sabemos lo que a ella le gusta, una lengua charnega lamiendo su cuerpo catalanufo, una lengua caliente, áspera y parsimoniosa como la de un gato, eso es lo que ella secretamente desea, la conocemos bien...

Sabiéndose observado desde la ventana, caminó con garbo por el sendero de grava hacia la verja donde campeaba el dragón, iba envarado, estupendo, la mano en el bolsillo y cojeando levemente.

12

CARMEN ENTRÓ EN LA SALA con las manos en la cintura y sorteando hábilmente los muebles que no veía, sin necesidad de tantearlos y sonriendo a la nada. El sol maduro de la tarde encendía la ventana abierta y sus ojos ciegos se orientaron hacia la luz.

—¿Dónde está, señor Faneca?

—Aquí, niña, en la ventana.

—¿Qué hace?

—Estoy mirando la calle.

Ella se sentó en la mecedora, frente al televisor apagado, y no dijo nada. Desde la cocina llegaba la voz de su abuela discutiendo con el señor Tomás. Al cabo de un rato Carmen dijo:

—¿En qué piensa, señor Faneca?

—¡Bah! En tonterías. Pensaba en cómo era esta calle hace cuarenta años, cuando yo era un chaval...

—¿Cómo era?

—Pasaban más cosas... Lo único seguro es que no había coches aparcados día y noche ni semáforos. Lo demás se me olvidó.

La muchacha suspiró y dijo:

—A mí se me están olvidando los colores. Sé que el mar es azul y el árbol es verde y la sangre es roja, pero esos colores ya casi no los recuerdo... A veces me confundo y me imagino el mar de color negro. Y es horrible.

—Bueno, qué más da —dijo Faneca queriendo animarla—. Figúrate una paloma de color rosa. ¡Qué bonita!...

—Dentro de poco olvidaré el color de las flores. —Pensativa, añadió—: Olvidaré el arco iris, señor Faneca.

Él la miró con tristeza, pero reaccionó en seguida:

—Bien, en tal caso también olvidarás la sangre y las banderas... No hay mal que por bien no venga, niña.

—Estoy empezando a olvidar las caras de las personas —dijo Carmen—. Eso es lo más terrible. Apenas me acuerdo de la cara de mi abuela. Pasan los años y las facciones de la gente que he conocido se borran de mi memoria...

—Pues tanto mejor, criatura. Anda por ahí mucho feo.

—Por favor, no se lo diga a mi abuela, no quiero entristecerla.

—Claro, niña.

Carmen se balanceaba en la mecedora. Sus ojos grises parpadeaban ahora mucho, como si quisieran apresar la luz.

—Pero no todo lo tengo tan negro, ¿sabe? —sonrió animosa—. Por ejemplo, yo siempre sueño en tecnicolor.

—¡Ajá! Eso es fabulozo.

—Por eso me gusta tanto dormir. Y las películas de la tele que usted me explica también las veo en maravillosos colores... ¿Todavía está en la ventana, señor Faneca?

—Aquí estoy.

—¿Y qué se ve ahora en la calle? ¿Sería tan amable de contarme lo que ve?

Él se quedó pensativo. La calle que siempre le había parecido un alegre tobogán sobre la ciudad, la calle trampolín de sus sueños juveniles, estaba desierta. Ni un niño jugando en el arroyo.

—Un gato verde está cruzando la calle —dijo por fin en tono pensativo—. S'ha parao en la acera contraria, frente al bar, y se lame una pata. Y una paloma rosa s'ha posao aquí en la ventana, y no se va, y te mira a ti, niña...

—Mentiroso —se rió la ciega.

13

EN LOS DÍAS SIGUIENTES, Marés dedicó las mañanas a tocar el acordeón en las Ramblas. A media tarde se iba a casa y al anochecer Faneca aparecía pulcro y resalado en la pensión Ynes, dedicando carantoñas a la señora Lola y a Carmen. Vestía siempre su traje marrón a rayas y exhibía el parche negro en el ojo con altanería no exenta de chunga. Al cabo de una semana, el personaje empezó a comerle el terreno a la persona: Faneca se dejaba caer por la pensión cada vez más temprano, primero a media tarde y luego, poco a poco, adelantó el horario y finalmente aparecía ya después de comer.

Marés sentía desintegrarse día a día su personalidad. Puesto que el astroso músico callejero era también, en el fondo, un personaje inventado, empezó a ser expoliado: algunas mañanas no era capaz de articular una palabra en catalán, tocaba el acordeón con el parche en el ojo y con patillas, y parecía ausente. Le dijo a Cuxot que así inspiraba más compasión a los transeúntes y que, además, veía mejor. A veces Cuxot le oía referirse a sí mismo como si se tratara de otro, como si no estuviera allí, y siempre con tristeza: «Este capullo de Marés me da pena, le van a poner los cuernos otra vez...» Fumaba cigarrillos negros emboquillados y bebía a morro de una botella de Tío Pepe. Dejó de vérsele encogido y su cuello se estiró y caminaba envarado, y una extraña parsimonia se adueñó definitivamente de sus manos y de su voz, una gestualidad ceremoniosa y altanera. Pese a ello, en términos generales parecía más conformado consigo mismo, aguantando más el tipo, con un comportamiento más barroco y extrovertido. Su repertorio musical también se alteró: ahora tocaba pasodobles y coplas andaluzas que años atrás hicieron populares Imperio Argentina y Estrellita Castro, y solía colgarse en el pecho un cartón que llevaba escrito con rotulador rojo:

EX SECRETARIO DE POMPEU FABRA
CHARNEGO Y TUERTO Y SORDOMUDO
SUPLICA AYUDA

Cuxot terminó el retrato de Faneca al carbón y Marés se lo llevó a Walden 7, donde ya empezaba a vivir como un fantasma. Se veía con el rabillo del ojo flotando en los espejos, silencioso y remoto, improbable. Sentía que la máscara de Faneca le iba devorando, que los rasgos del charnego le estaban acuchillando el rostro, que la tiniebla del ojo derecho se afirmaba.

Por la tarde, en la pensión, se encontraba plenamente a sí mismo y desplegaba una gran actividad. Lo primero que hacía al llegar era preguntar a la señora Lola y a su nieta si le había llamado una tal Norma Valentí. La respuesta siempre era no. Solía encontrar a Carmen en la cocina, lavando platos o pelando patatas con sus ojos de ceniza fijos en el vacío, y a veces la ayudaba a secar los platos y bromeaba con ella. Desde hacía algún tiempo cenaba en la pensión y frecuentaba el bar de enfrente, donde solía jugar unas partidas de dominó con viejos jubilados que recordaban sus correrías de niño por el barrio con la pandilla. En su pensamiento, el Marés enamorado locamente de Norma era un espectro cada vez más lastimoso y Norma era una dulce fatalidad: estaba escrito que tenía que seducirla alguna noche, probablemente en su cuarto de la pensión, pero a menudo Faneca no recordaba cuándo ni por qué había decidido acometer semejante empresa. Entonces convenía consigo mismo en que lo único que podía hacer era esperar.

Sin apenas darse cuenta, su vida empezó a organizarse en torno a la muchacha ciega y su mundo de sombras. Cuando no tenía nada que hacer, Carmen le buscaba en su cuarto o en el bar El Farol, le cogía de la mano y con mimos y arrumacos le conducía a la sala, se sentaba ella en la mecedora y le pedía que le contara la película de la tele, y si no había película, los anuncios publicitarios, lo que fuera. Aquel mundo atrafagado y artificioso lleno de voces y melodías sugestivas, aquella otra vida en colores de la que ella sólo podía captar su rumor, intuir su pálida fugacidad, le llegaba a través de la voz impostada y persuasiva de Faneca, que se lucía especialmente con las películas: a Carmen era lo que más le gustaba que le explicaran, y, según ella, el señor Faneca sabía contárselas maravillosamente; le hacía *ver* la película, porque no se limitaba a explicar las imágenes, no sólo describía para ella los decorados y los personajes, narrando lo que hacían en todo momento y cómo vestían, también comentaba sus emociones y sus pensamientos más ocultos. Según el señor Tomás y el señor Alfredo, los dos huéspedes jubilados que solían asistir a estas sesiones, las películas ganaban tanto explicadas por el señor Faneca, que era mejor oírlas que verlas —aunque esa amable opinión, según entendió él, tenía por finalidad confortar el ánimo de la ciega—. En cualquier caso, era tanta la afición de la muchacha a estas películas explicadas, que alguna vez Faneca intentó zafarse de lo que ya empezaba a ser una obligación. Pero si cometía el error de asomarse a la sala y veía a Carmen sentada frente al televisor y bebiendo su luz, sola y esforzándose en imaginar lo que no veía, o manejando el mando a distancia compulsivamente, cambiando de canal en busca de una voz que la subyugara, le embargaba un sentimiento que no podía controlar y acababa por sentarse junto a ella y explicarle las imágenes. De noche, hallándose en el bar de enfrente jugando al dominó, después de cenar, veía entrar al señor Tomás o al señor Alfredo y buscarle con los ojos: que la niña había preguntado por él, que si no pensaba ir a ver la película, que quién se la iba a contar...

—Tiene usted mucha paciencia conmigo, señor Faneca —le dijo Carmen una noche—. No crea que no me doy cuenta.

—Llámame siempre que me necesites.

—Es que soy muy peliculera, ¿sabe?

—Digo.

—Me gustaría mucho hacer una cosa... ¿Me deja usted hacerla?

—¿Qué cosa, niña?
—Tocarle la cara. Ver cómo es.
—¿Cómo me imaginas tú?
—Le veo con cara de buena persona. Alto, flaco, moreno... Pero quiero comprobarlo.

Alzó la mano y con las yemas de los dedos, como si tanteara algo muy frágil o quemante, recorrió suavemente sus facciones, demorándose brevemente en la fina nariz aguileña, en los pómulos altos, en las patillas, en los párpados y finalmente en el parche negro que le tapaba el ojo. Inmóvil, conteniendo el aliento, él la dejó hacer como si de un ritual se tratara, mirándose en sus ojos grises. Al tantear el parche del ojo, la mano se sobresaltó levemente.

—¡Tranquila! Soy yo —dijo él con la voz suave—, Faneca, Fanequilla.
—¿Sólo ve por un ojo?
—Pa lo que hay que ver, con un ojo nos basta y sobra a los dos.

A través de la ventana llegaron desde la calle unos ladridos de perro y griterío de niños. Carmen se acercó a la ventana y apoyó la frente en el cristal.

—¿Qué pasa? —preguntó—. ¿Por qué gritan los niños?
—Hay una paloma en la acera que no puede volar —le explicó Faneca—. Un perro le está ladrando y un corro de niños achucha al perro...
—Volvamos a la tele —le interrumpió ella, y fue hasta la mecedora—. Por favor.

La soledad se inventa espejos, pensó él al verla sentada nuevamente frente al televisor.

—Por favor, señor Faneca... ¿Dónde está?
—Aquí estoy, niña.

14

CASI CADA MAÑANA, Faneca acudía al apartamento de Walden 7 y cumplía el trámite cada vez más penoso de volver a ser el músico callejero y zarrapastroso que tocaba el acordeón en compañía de Cuxot o de Serafín el chepa.

Un día de principios de junio, el músico callejero dejó de acudir a las Ramblas como cada mañana y Faneca pasó a ocupar una esquina en la plaza Lesseps tocando el acordeón vestido de luces y con antifaz negro. No volvió a ver a Cuxot ni a Serafín. Había adquirido un maltrecho traje de torero esmeralda y oro en una tienda de disfraces del Raval y decidió tomar prestado el acordeón de Marés y ganarse la vida más cerca de la pensión. Tocaba de pie vibrantes sardanas y el *Cant dels ocells* con un cartel en el pecho que decía:

EL TORERO ENMASCARADO
AGRADECE A LOS CATALANES
SU PROVERVIAL HOSPITALIDAD

Contra todo pronóstico, la combinación traje de luces/música catalana, el contraste entre la torería y la sardana atrajo la atención y las simpatías de los viandantes y la recaudación era buena, aunque no tanto como antes.

Fue por esas fechas, al mediodía de un domingo que no trabajó, y después de haber llevado a Carmen a pasear por el parque Güell, cuando Faneca efectuó una visita a Walden 7, que sería la última, aunque entonces no lo sabía. Su intención era hacerse con algunas prendas de ropa interior que habían pertenecido a Marés y luego visitar a la señora Griselda y regalarle el retrato al carbón que le había hecho Cuxot. Quería tener un detalle con ella antes de desaparecer de su vida para siempre.

El apartamento de Marés estaba limpio y ordenado, pero ya era una casa ajena, misteriosa y fría. Se le antojó la guarida de un solitario abandonada hacía mucho tiempo, y en la que aún se podían rastrear los espejismos de la pasión que un día albergó junto con las pesadillas recurrentes del desencanto. En el exterior las losetas seguían desprendiéndose y el singular y camaleónico edificio mostraba los muros descarnados, el cemento leproso de la falacia. Había sobre la mesa de la cocina un mensaje urgente de la mujer de la limpieza pidiéndole al señor Marés que diera la cara. Faneca se verificó en los espejos, a hurtadillas, y sintió nuevamente y con mayor intensidad que profanaba el reducto de un solitario, de alguien que no era feliz. Al entrar en el dormitorio vio extendida sobre la cama la camisa de seda rosa y, sobre ella, cinco talones bancarios en blanco con la firma de Marés, acompañados de una nota:

«Querido Fanequilla: ahí te dejo mi camisa

favorita; sé que te gusta mucho y que siempre te hizo ilusión llevarla. También te dejo algunos talones firmados porque supongo que no andarás muy bien de dinero, con los gastos que últimamente has tenido. Y puedes llevarte lo que quieras de este agujero, a mí ya todo me da igual... Desde hace algún tiempo no me encuentro bien, creo que tengo la enfermedad del olvido. Temo que pueda ocurrirme algo malo de un momento a otro. Pero me acuerdo mucho de ti. Recibe un abrazo de tu amigo de siempre, que te desea suerte en la vida. MARÉS.»

Se quedó pensativo al pie del lecho. Cogió los talones, los dobló cuidadosamente y se los guardó en el bolsillo, luego cogió la camisa rosa y, sin poder contenerse, ocultó la cara en ella y se echó a llorar.

15

—Hola, Grise.

—Dichosos los ojos.

La viuda estuvo muy contenta de verle. Salía de la ducha y llevaba un gorro de plástico con florecillas verdes y amarillas y un albornoz rojo cereza. Le echó los brazos al cuello y le envolvió en un efluvio refrescante de agua de colonia. Faneca llevaba una bolsa de mano con la ropa de Marés y el dibujo de Cuxot enrollado bajo el brazo. Ella le hizo pasar y le ofreció una cerveza fría y almendras saladas y se empeñó en que se quedara a comer, pero él rehusó y le regaló su retrato dibujado al carbón. La señora Griselda se emocionó y prometió enmarcarlo y colgarlo en el salón, y después le regañó amablemente por haberse olvidado de ella tanto tiempo. Pero le perdonaba porque ahora tenía novio y era feliz, se llamaba Rafael y era acomodador de cine y llevaban dos meses saliendo juntos. No era tan elegante y juncal y guapo como él ni tenía los ojos verdes ni el pelo rizado, pero era una buena persona y la trataba con mucho cariño.

—La verdad es que desde que nos pasó aquello —añadió conteniendo una risita golosa—, desde que tú y yo vivimos aquella aventurilla, mi vida ha cambiado por completo. Fue como salir de una pesadilla, de una mala racha o qué sé yo. No he vuelto a sentirme sola, y además he adelgazado. Mírame, cielito mío, contempla mi figura. Quince kilos he perdido, y todo me está saliendo requetebién.

—M'alegro por ti, Grise —dijo él sin entusiasmo.

—Y ya no trabajo de taquillera en un cine de mala muerte. Ahora vendo caramelos y chocolatinas en el vestíbulo del Club Coliseum. ¿Qué te parece?

—Fabulozo.

Estaba abatido, como desorientado, y ella lo advirtió.

—Te veo tristón. ¿Qué te pasa, rey?

Faneca suspiró.

—Vengo de casa de tu vecino.

—Ah, ese amigo tuyo. —Frunció ella la boca desdeñosamente, su manita de porcelana cogió una almendra salada, pero la volvió a dejar en el plato—. Ese borracho del acordeón que habla solo. Últimamente se le ve poco. El otro día andaba por la Galería del Éxtasis como si le persiguieran, parecía un fantasma asustado. Pero no creas que me dio pena. Siempre ha sido un grosero y un mal educado.

—S'ha portao conmigo de puta madre, Grise —dijo él—. ¿Y quieres saber cómo se lo estoy pagando? Pues buscando la jodida manera de llevarme a su mujé a la cama... Como lo oyes, Grise. Qué clase de amigo soy.

—Pero ¿no me dijiste que su mujer lo abandonó...?

—¡Maldita sea mi estampa! —dijo Faneca cabeceando pensativo—. Dentro de su bobería y su delirio, este hombre me da mucha pena. El sentimiento que todavía le inspira su mujé, aun sabiendo que ella es un pendón desorejao, y a pesar de que llevan años viviendo separaos, es que no se entiende... Este asunto me tiene muy amargao, Grise. Creo que me he metío en un lío.

—Pero ¿él sabe lo que te propones...?

—Pondría la mano en el fuego. ¿Y quieres ver lo que me acaba de regalar este capullo? —Sacó la camisa rosa de seda de la bolsa y se la mostró—. Mira. El muy capullo.

—Muy bonita. Muy fina —dijo ella examinando la tela—. Pero no te atormentes, rey. Si ella ya no es su mujer, no tienes nada que reprocharte. Tú has de procurar ser feliz. Y la felicidad es lo primero, ¿no crees?

—Sí, lo primero —dijo él, y sintió de pronto la imperiosa necesidad de sincerarse con alguien y le habló de Carmen, la muchacha ciega que se había acostumbrado a que él le contara películas y lo que se veía desde la ventana. Estuvo media hora hablando con entusiasmo de ella y de su abuela, de la pensión Ynes y del bar El Farol y de sus nuevos amigos, en lo alto de una calle que le pertenecía desde la infancia y que se empinaba hasta el cielo.

—Siento un gran aprecio por esa niña ciega —dijo—. Soy los ojos de esa niña.

—Eres muy bueno —dijo ella, y su papada sonrosada tembloteó.

—No soy bueno. Soy un hijoputa al que la vida hizo así... O sea, quisiera ser un buen hijoputa al que la vida hizo así...

—Ojalá ahora cambie tu suerte —insistió la viuda como si no le hubiera oído—. Las personas buenas como tú no tienen mucha suerte en esta vida.

Él no contestó y quedaron los dos un rato pensativos. Con su mano gordezuela y perfumada, la viuda le acarició la mejilla y sonrió feliz. Al retirar la mano, no resistió la tentación de juguetear con las almendras saladas del plato. Súbitamente, su mano se convirtió en garra y atrapó una almendra con la saña de una ave de presa.

—Me voy, Grise —dijo Faneca, y se levantó—. Sólo he venido a despedirme. M'alegro que hayas encontrao a un hombre que te quiera y te haga compañía, porque yo no volveré. He regresao a mi antiguo barrio, de donde creo que nunca debí salir, y allí me quedo.

—¿Y no volveremos a vernos? No digas eso... Ven, dame un beso.

Se había echado furtivamente la almendrita a la boca y la masticaba con mal disimulada fruición. Él la observó mientras se inclinaba para darle un beso de despedida. Era verdad que había perdido varios kilos, aunque no los que decía; tal vez cuatro o cinco. Pero su resignada expresión de gordita sentimental y malquerida, su dulce conformidad consigo misma y con su pequeña y sobada porción de felicidad cotidiana, no se había alterado.

—Adiós, rey mío —dijo la señora Griselda desde la puerta—. Que seas bueno y que se cumplan todos tus deseos.

—Abur, Grise.

16

NO HABÍA en su revoltada conciencia ni rastro del Marés que había sido, y el progresivo afantasmamiento del neurótico solitario de Walden 7 aumentaba de día en día cuando, la noche del 15 de junio, viernes, Faneca se disponía a explicar a Carmen la película que la tele había programado, una intriga de nazis envenenadores y amores contrariados. Era la sesión de la madrugada, hacia la una. Se había sentado junto a la ciega y tenía entre sus manos la mano de ella. Hacía calor. Estaba presente el señor Tomás, con la chaqueta del pijama y fumando sus torcidos pitillos hechos a mano. La señora Lola, después de dejar ordenada la cocina, también se había sentado un rato frente al televisor, pero el sueño la venció y se fue a acostar. En el momento en que iba a empezar la película, un muchacho vino corriendo de la calle y se asomó a la sala para decir al señor Faneca que una señora preguntaba por él en el bar El Farol.

—Está sentada a la barra —dijo—. Que si puede usted ir.

—¿Sola?

—La acompaña un señor.

Eso le desconcertó. De todos modos, era el momento tan esperado. Soltó la mano de la muchacha ciega y se levantó. ¿Había previsto esa repentina desgana, esa sensación de vacío? No sentía la menor emoción, la menor impaciencia. Pidió disculpas a Carmen, que no ocultó su contrariedad, rogó al señor Tomás que le supliera en la explicación de la película y, antes de salir, comprobó su aspecto en el espejo de recepción. Vio a un charnego envarado y atildado mirándole a hurtadillas desde un ángulo del espejo, con media sonrisa socarrona y el ojo verde lubricado de malicia, seguro de gustar.

Caminando a pasitos cortos, la mano abierta en el bolsillo de la americana y la cabeza erguida, estilizando su desvarío, como si estuviera rodeado de gente y jaleado igual que un torero, cruzó la calle en línea recta y se paró en la puerta del bar al oír un ruido de pasos tras él. En la esquina de la pensión, el farol averiado parpadeaba reflejando sobre el lomo de los coches una luz esquiva y falaz. Había un hombre parado en mitad de la noche, con barba de varios días y un raído pantalón de franela gris, las manos en los bolsillos y la cabeza gacha. Parecía desgraciado, a punto de llorar. Al ladearse, la luz jabonosa del farol resbaló intermitentemente sobre su cara y Faneca creyó reconocerle y se estremeció: Sólo le falta el acordeón, pensó apesadumbrado.

—¿Qué haces aquí? —le dijo con la voz triste—. Vete, anda. Déjame en paz.

Dando cabezadas a las sombras, el hombre

masculló confusos agravios y maldiciones, miró a Faneca desde el fondo de su borrachera o de su soledad sin nombre y luego dio media vuelta y se alejó encorvado, esfumándose en la noche.

17

Faneca entró en el bar. Había cuatro viejos jugando a las cartas y una pareja joven sentada en una mesa del fondo. Norma Valentí le esperaba en la barra bebiendo un whisky en compañía de Jordi Valls Verdú, que se movía nerviosamente de un lado a otro con la americana echada sobre los hombros y una copa de coñac en la mano. Discutían sin alzar la voz, pero con cierta crispación. El activista cultural había venido aquí a disgusto y maldecía en voz baja. Norma llevaba gafas oscuras y un pañuelo verde en la cabeza, y parecía algo achispada. Hizo las presentaciones:

—Faneca, Valls Verdú.

—Molt de gust —masculló Valls Verdú, acentuándose su expresión de contrariedad.

—Hola.

No se dieron la mano. El sociolingüista miraba el fondo de su copa y paseaba de un lado a otro, enfurruñado e impaciente. Norma había abierto su bolso y sonrió al charnego.

—He venido a devolverle las confesiones de mi marido —dijo.

Sacó del bolso los tres cuadernos y se los dio.

—¿Le han gustado? —preguntó él.

—Estas historias del niño rapsoda y contorsionista que perdió el pez de oro tienen bastante gracia —dijo Norma—. Pero dudo que sean ciertas.

—Lo son. Uzté nunca creyó en él. Uzté nunca llegó a conocer bien a su marío...

—Eso es verdad —admitió Norma.

—Ja. No es coneix ni ella mateixa —gruñó Valls Verdú mirando a Faneca—. Oiga, la señora me ha dicho, ven, que esta noche conocerás a un murciano que es todo un espectáculo. Ja, ja —parodió una risa falsa—. ¿Y es usted el espectáculo? Pues no hay para tanto, oiga...

Norma le atajó en un tono helado:

—Vols callar, d'una vegada?

El sociolingüista pareció darse momentáneamente por vencido y asomó un componente de animalidad doméstica y apaleada en su cara, cierta resignación perruna. Daban ganas de darle una galleta o un terrón de azúcar, pero el charnego fulero optó por no hacerle caso y habló dirigiéndose a Norma:

—Marés ha sido siempre un pobre soñador, zeñora. —Y cabeceó reflexivamente—. ¡Qué le vamos a hacer!

—¡No le tenga tanta lástima, hombre! —entonó Valls Verdú sin mirarle, mientras pagaba las copas—. Lo pasó muy bien, cuando lo mantenía esta pánfila. I ara, anem-s'en, tu —añadió dirigiéndose a Norma—. No l'aguanto, aquest xarnego llefiscós. Apa, anem.

Norma se le encaró haciendo girar bruscamente el taburete y le habló entre dientes:

—A mí no em mana ningú. Jo em quedo.
—Estàs feta una fúrcia.
—I tu un imbècil.
—Saps què et dic, maca? Que ja te'n pots anar a fer punyetes.
—Y tu a la merda.

El sociolingüista parecía haber perdido los papeles definitivamente. Muy nervioso, recogió las monedas del cambio sobre el mostrador y, dando media vuelta, se dirigió a la puerta de la calle y se fue.

—Vaya, siento lo ocurrido —dijo Faneca.
—Pues yo no —dijo Norma—. Menuda nochecita me ha dado el señor.

Apuró el contenido del vaso y él intentó hacerse una idea de lo que este catalanufo podía representar para Norma: seguramente han cenado juntos y han discutido y luego han estado bebiendo por ahí, o en casa de unos amigos, y después al salir ella aún tendría ganas de juerga y pensaría vamos a hacerle una visita sorpresa al murciano de la verde pupila y el parche de terciopelo negro... Y su fulano se había olido algo y había tratado de evitarlo, y había perdido.

—Lo que no le he traído es ese álbum de Fu-Manchú. No aparece por ninguna parte —dijo Norma. Esbozó una sonrisa húmeda y cambió el tono de voz—: Olvide lo que acaba de pasar, no tiene importancia. Mi vida está llena de momentos así... También he venido a que me invite a una copa —añadió agitando el vaso vacío—. Lo prometido es deuda.
—Digo. Eso está hecho.

Todo ocurrió según Marés y Faneca habían previsto, pero más rápidamente y casi por entero a iniciativa de ella, que en seguida se colgó de su brazo y se rió mucho cuando él insistió en que Marés estaba escondido en algún portal oscuro de la calle, esperándola.

—¿Supone usted que me ha seguido hasta aquí? —dijo Norma.

—Digo.

—Eso es imposible. He venido en mi coche. ¿Seguro que era él?

—Yo juraría que sí —dijo Faneca.

—Pues aunque lo fuera, que no lo creo, no dejaré que eso nos amargue la noche... Qué bien le sienta el parche en el ojo, puñetero.

—Lo estará pasando muy mal, el pobre —insistió él, pensativo.

Norma agitó el hielo del vaso antes de beber un sorbo, sin apartar los ojos de Faneca.

—Y qué vamos a hacerle —dijo muy despacio, con una flema sexual enredada en las palabras—. Nosotros no tenemos la culpa de lo que le pasa, ¿verdad?

Faneca miraba su boca al responder:

—Digo. Pensará tal vez que le vamos a poner los cuernos.

—Quién sabe —Norma sonrió abiertamente, y de pronto pasó a hablar en catalán—: Vostè què opina?

—Zervió está aquí para lo que mande la zeñora.

—Així m'agrada. Té alguna cosa per beure a la seva habitació?

—Tengo una botella de Tío Pepe enterita.

—Doncs a què esperem?

Al salir del bar, cruzando la calzada, ella se paró un instante para admirar el espectral decorado que ofrecía la encrucijada de calles en pendiente bajo la luz mortecina del farol, y dijo: «Así que éste es vuestro barrio. Me gusta», y en su voz él captó una emoción antigua de niña bien, una bien controlada nostalgia del arrabal y sus peligros, y suavemente, inclinado hacia ella como si la protegiera de la noche y sus fantasmas, rodeó su cintura con el brazo para invitarla a seguir caminando hacia la pensión. Pero Norma no avanzó; le puso la mano en la nuca rozando la cinta del parche con los dedos y, nerviosamente, giró la cabeza hacia él. Al volverse Faneca, su boca se encontró con la suya, con su lengua cálida y convulsa, y cerró los ojos. El sabor inconfundible de ella lo mareó y lo trastornó; sintió que la mente se le iba lejos de allí y que recibía otros estímulos, otros reclamos. Entonces, durante unos segundos que le parecieron eternos, no supo quién era: el suyo era un beso de nadie en tierra de nadie, a medio camino entre el deseo loco de Marés y la conciencia intermitente de Faneca. Finalmente el deseo se impuso y de pronto, mientras aún duraba el beso en la calle, Marés temió ser reconocido: tuvo entonces, quizá por última vez, conciencia fugaz de quién era y de lo que estaba haciendo, un enmascarado loco de amor que había tramado una falacia disparatada para reconquistar a su mujer. Ese largo beso había trascendido la máscara y rescataba por un breve instante al desdichado músico callejero, que ahora se sentía indefenso y vulnerable y se preguntaba si el beso no le iba a delatar. En efecto, la lengua endiablada de Norma, que buscaba la suya y se enroscaba y porfiaba en su paladar, que exploraba sus dientes y sus encías,

¿acaso no era capaz de reconocer la boca que tanto había frecuentado, identificando a su marido a través del beso?

Pero esa percepción del otro iba a resultar pasajera, eran los últimos coletazos de una personalidad desahuciada y repudiada, y el murciano fulero recuperó su afán y volvió a imponer sus barrocas maneras en el beso y en la mente, sofocando cualquier temor. Poco a poco, Faneca sintió que se le remansaba el pulso, y supo que ése era nuevamente *su* pulso. Cinco minutos después estaban los dos en la habitación de él revolcándose a oscuras sobre el lecho, desnudos a medias. A través de la ventana abierta, el farol de la esquina arrojaba sobre ellos su luz intermitente y desquiciada, congelando el abrazo en cada flash. Norma cogió la ardiente cabeza del charnego con ambas manos mientras se dejaba dulcemente separar los muslos, y con sus frotamientos desasosegados a punto estuvo de desbaratar la peluca, el disfraz y la falacia. Hasta que logró dominar la situación, Faneca las pasó moradas. Se le despegó una patilla y no la pudo recuperar hasta pasado un buen rato, camuflada en el pubis impetuoso de Norma. El parche del ojo también corrió peligro y un par de veces se lo encontró en la boca. Todo eso hizo que tuviera una erección lenta, dándole tiempo a Norma de alcanzar un grado superior de excitación. Finalmente, cuando se sintió bien, se echó de espaldas y dejó que ella cabalgara sobre su sexo sin tocarla con las manos, que los dos mantenían unidas con los dedos entrelazados. En sus acometidas, Norma echaba la cabeza hacia atrás y bisbiseaba confusas jaculatorias en catalán. La primera oleada del orgasmo los pilló a los dos por sorpresa, y en la culminación del éxtasis el murciano exclamó: «Hi ha cap peeeeeell de cuniiiiiill...!», sumiendo a la sociolingüista en el mayor desconcierto.

¿Puede un cuerpo guardar memoria de otro cuerpo, de su comportamiento en el lecho, de su entrega y generosidad, de sus excesos o de sus carencias? Tiempo atrás, Marés se había planteado, pensando en este momento, la posibilidad de que Norma reconociera su cuerpo incluso a oscuras: por el tacto, por la forma personal de los abrazos, por su ritmo y su cadencia al hacer el amor, por la textura del placer... Pero a la hora de la verdad —o más bien de la mentira—, Faneca no llegó a plantearse esa cuestión: su conciencia no podía temer nada, puesto que nada o casi nada quedaba en ella del repudiado marido de Norma.

Por lo demás, todo fue tan rápido que apenas le dio tiempo a pensar. Mientras él recomponía su aspecto, Norma se sentó al borde de la cama con aire de gran fatiga y se mostró expeditiva y algo malhumorada, al parecer consigo misma. El extraño alarido del murciano no sólo la había confundido; le había metido en el cuerpo un miedo antiguo, irracional y paralizante. No quiso que él encendiera la luz de la mesilla de noche, y con su espejito de mano, a la luz del farol que entraba por la ventana, se pintó los labios y se peinó, terminó de vestirse y recuperó sus gafas. Comentó lo tarde que era sonriendo, sin la menor convicción, y de pie, apoyándose en la manecilla de la puerta, se bebió de un trago la copita de vino que él le ofreció. Qué rico, dijo al devolverle la copa, y abrió la puerta. Faneca le dedicó una tímida sonrisa, pero no hizo nada por retenerla y la siguió escaleras abajo procurando no hacer ruido.

La luz del televisor hacía guiños en la penumbra de la sala y se oían las voces ahuecadas de la película y también la voz de Carmen preguntando qué pasa ahora, qué está haciendo Alicia. Nadie le respondió. Faneca cogió suavemente el codo de Norma y la acompañó hasta la calle. Estaba deseando dejar a la señora de Marés en su coche y volver junto a la ciega.

Todas las ventanas abiertas vomitaban a la calle el mismo programa de TV, la misma voz y la misma risa —falsas, de doblaje— de Ingrid Bergman. Se despidieron junto al coche de Norma, y luego ella, al soltar el freno de mano, se volvió a mirarle con una sonrisa cansada. Pero el murciano ya había vuelto la espalda y cruzaba nuevamente la calle camino de la pensión.

18

AHORA QUE TODO HABÍA TERMINADO, Faneca sintió que le invadía un sentimiento de alivio y culpabilidad. ¿Por qué se había embarcado en esa aventura tardía y un poco decepcionante? ¿Qué tenía de especial esa mujer, con sus treinta y ocho años, funcionaria de la Generalitat, separada y liada con otro hombre, un catalanufo monolingüe y celoso? ¿Qué tenía él que ver con toda esa gente?

Cuando se disponía a entrar en la pensión, una sombra entre las sombras se movió a su derecha y oyó un carraspeo miserable y reiterados escupitajos, como de alguien que acabara de vomitar. Distinguió en la oscuridad el ancho pantalón de franela gris y la despeinada cabeza gacha apoyada contra la pared. Parecía que iba a caerse de un momento a otro. Tampoco ahora recibía la luz de cara, pero Faneca creyó reconocer sus hombros derrotados.

—¿Todavía estás aquí? —le dijo con la voz triste—. ¿Qué esperas, pobre amigo?

El borracho sufría arcadas que le doblaban la espalda.

—Malparit —masculló entre dientes.

—Vete, ya acabó todo —dijo Faneca—. Hazme caso.

—Eggrrr...

La sombra se balanceó hacia adelante y pareció que iba a decir algo, pero finalmente escupió al suelo.

—¿Por qué te torturas así, Marés? —se lamentó Faneca—. Estás buscando tu perdición. Vete a casa, anda, vete.

—Torracollons. Malparit —insistió el otro con ronca voz.

—Qué pena me das, compañero. ¡Qué pena más grande!

—Egggrrr...

Los puños hundidos en los bolsillos del pantalón, el hombre se tambaleó, dio media vuelta y se perdió en la oscuridad, soltando su perorata de borracho solitario.

Faneca le estuvo mirando con la mano apoyada en la pared y lágrimas en los ojos hasta que desapareció; luego recostó la frente en el brazo y permaneció así un buen rato, pensando en el triste destino de su amigo, antes de refugiarse en la pensión.

19

—¿Y ELLA QUÉ HACE, señor Faneca? —dijo Carmen—. ¿Dónde está ahora?

De pie tras la mecedora donde se sentaba la muchacha, las manos apoyadas en el respaldo, él veía la película por los dos con una sola pupila camuflada de verde. La luz plateada inundaba la sala y el sueño en blanco y negro de la pantalla anidaba coloreado en los ojos de ceniza de Carmen. El señor Tomás se había dormido apaciblemente en su butaca.

—Ahora Alicia s'acerca al tocador —explicó Faneca con la voz suave y persuasiva, neutralizando en lo posible el acento del sur—. Se mira en el espejo y luego mira el llavero de su marido, donde se encuentra la llave que debe coger sin que él se entere... Lleva un vestío de noche precioso, negro, con los hombros desnudos. ¡Qué hermosa se la ve, niña, qué mujer tan fascinante y fabuloza! La sombra de Alex, su marido, se proyecta en la puerta del cuarto de baño mientras termina de peinarse... Ahora Alicia observa esa sombra y vuelve a mirar las llaves, temerosa. ¡Es muy arriesgado lo que se propone! Cada vez que la sombra desaparece de la puerta, la mano de Alicia se acerca al llavero... Pero la voz de Alex la sobresalta y ella aparta la mano, disimulando, retocándose el peinado ante el espejo...

—Preferiría que el señor Devlin no viniera esta noche —dijo Alex desde el cuarto de baño—. No puedo reprocharle a nadie que se enamore de ti, pero sería conveniente que evitáramos todo cuanto pueda producir una falsa impresión. ¿Comprendes, querida?

—Sí, sí, comprendo.

—Ahora ella ha cogido por fin el llavero —dijo Faneca—, y está intentando sacar la llave que le interesa... Sus manos nerviosas...

—Dentro de un momento estaré contigo, querida —dijo Alex en el cuarto de baño.

—Su marido, Alex Sebastian, es un hombre bajito de rostro muy expresivo y sonrisa afable. Está muy elegante con el esmoquin...

—¿Y ahora qué pasa? —dijo Carmen.

—Ahora Alicia se apresura a dejar el llavero de su marido en el mismo sitio, mientras guarda en su mano la llavecita que ha cogido. Es la llave de la bodega, la llave que le ha pedido Devlin... Alex sigue en el cuarto de baño y no ha visto nada... ¡Pero casi la pilla, porque sale en este momento y se dirige hacia ella con los brazos abiertos!

—¡Querida, estás espléndida!

—¡Y ahora la coge de las manos! —siguió Faneca—. ¡Qué momento de peligro! Recuerda, niña, que la mano izquierda de Alicia permanece cerrada porque en ella guarda la preciosa llave. Pero su marido no parece darse cuenta, extasiado ante la contemplación de la bella Alicia. —Carmen notaba ahora las manos afables y protectoras del señor Faneca posadas en sus hombros, y su voz amiga junto al oído—. ¡Pero qué situación más comprometida! ¡¿Y si él descubre la llave en su mano?!

—Amor mío, no es que desconfíe de ti —dijo Alex—. Pero cuando uno se enamora a mi edad, cualquier hombre que mira a nuestra esposa es una amenaza... ¿Me perdonas que te hable así? Estoy muy arrepentido. Perdóname.

—Y ahora él acerca a sus labios el puño cerrado de Alicia, lo abre despacio y besa la palma de la mano cariñosamente. Por fortuna es la mano derecha... La angustia se refleja en el rostro de Alicia: su puño izquierdo, en el que esconde la llave, sigue aprisionado en la otra mano de su esposo. ¡¿Y si él abre esa mano para besarla, tal como acaba de hacer...?!

—¡Dios mío! —exclamó Carmen, y llevó la mano a su hombro buscando la del señor Faneca.

—Alex se dispone a abrir el puño de Alicia... Ella está nerviosa, teme lo peor. Y cuando está a punto de ser descubierta..., ¡rodea el cuello de su marido con los brazos liberando sus manos y le estrecha con un apasionamiento fingido, dejando que él la bese en los labios! ¡Ha salvado la situación en el último segundo! Mientras dura el beso, deja caer la llave sobre la alfombra y la empuja disimuladamente con el pie hasta esconderla debajo de la butaca más próxima. El peligro ha pasado...

La muchacha suspiró tranquila, reteniendo con fuerza la mano posada en su hombro, y el murciano fulero decidió su destino. Trastornado, indocumentado, acharnegado y feliz, se quedaría allí iluminando el corazón solitario de una ciega, descifrando para ella y para sí mismo un mundo de luces y sombras más amable que éste. La muchacha retuvo su mano y no la soltó hasta que terminó la película, hasta que él pronunció la palabra fin.

20

A JOAN MARÉS le dieron por desaparecido al cabo de ocho meses. Nadie se interesó por saber dónde estaba ni qué podía haberle pasado, y el caso se archivó.

Tres años después, en el verano de 1989, El Torero Enmascarado se trasladó con su acordeón a la plaza de la Sagrada Familia y todas las mañanas tocaba sardanas para los viandantes y los turistas plantado delante del pórtico del templo inacabado. Los primeros días fue objeto de mofa, pero él no se inmutó y su figura espigada y animosa no tardó en hacerse popular. Contrastando con la mascarada fraudulenta de las nuevas esculturas de la fachada de la Pasión, una fantasmagoría deplorable de piedra inanimada, el charnego fulero se erguía vivo y auténtico con su traje de luces verde y oro y su acordeón sentimental. Su estilo se había depurado, su repertorio de sardanas y de canciones populares catalanas era infinito. Debajo del antifaz, el parche de terciopelo negro seguía ocultando su ojo derecho y media visión de un mundo al que ya no pertenecía y del que se estaba desentendiendo cada vez más.

Un luminoso domingo de este verano, cuando El Torero Enmascarado tocaba el acordeón rodeado de japoneses atónitos, de palomas y de niños, brillando bajo el sol como una llama esmeralda, un viandante bajito y calvo se le acercó con las manos en la espalda y media sonrisa acartonada de suficiencia, pero sin animosidad, y después de observarle de cerca un buen rato le dijo:

—Escolti, perdoni. De què se'n fot, vostè?

Faneca fijó su atención en el hombre haciendo un esfuerzo, achicando el ojo como si algo dificultara su visión o le aturdiera. Inició un balbuceo con voz profunda. Su mente ventrílocua se estaba desmoronando, su lenguaje contorsionista también, pero el personaje inventado se mantenía en pie y dejó de tocar un momento para responder, sin esperanza y sin resentimiento:

—Pué miriztè, en pimé ugá me'n fotu e menda yaluego de to y de toos i així finson vostè vulgui poque nozotro lo mataore catalane volem toro catalane, digo, que menda s'integra en la Gran Encisera hata onde le dejan y hago con mi jeta lo que buenamente puedo, ora con la barretina ora con la montera, o zea que a mí me guta el mestizaje, zeñó, la barreja y el combinao, en fin, s'acabat l'explicació i el bròquil, echusté una moneíta, joé, no sigui tan garrapo ni tan roñica, una pezetita, cony, azí me guta, rumbozo, vaya uzté con Dió i passiu-ho bé, senyor...

Índice